상위권으로 가는 연산 학습지

응용 연산

C3
초3 ~ 초4

곱셈과 나눗셈

Creative to Math
씨투엠

응용연산 : 상위권으로 가는 문제해결 연산 학습지

요즘 아이들은 초등학교 입학 전에 연산 문제집 한 권 정도는 풀어본 경험이 있습니다. 어릴 때부터 연산 문제를 많이 풀었기 때문에 아이들은 아직 학교에서 배우지 않은 계산 문제를 슥슥 풀어서 부모님들을 흐뭇하게 만들기도 합니다. 그런데 아이들의 연산 능력은 날로 높아지지만 수학 실력은 과거에 비해 그다지 늘지 않은 것 같습니다. 사실 진짜 수학 실력은 연산 문제나 사고력 수학 문제를 주로 푸는 초등 저학년 때는 잘 드러나지 않습니다. 응용 문제를 본격적으로 풀기 시작하는 초등 3, 4학년이 되어서야 아이의 수학 실력을 판별할 수 있습니다.

초등 수학에서 연산이 가장 중요한 것은 부정할 수 없는 사실입니다. 중학생, 고등학생이 되어서 부족한 연산 능력을 키우는 것은 거의 불가능합니다. 이러한 연산의 특수성 때문에 아이들은 어린 나이부터 연산을 반복적으로 연습하여 실력을 키우려고 합니다. 이렇게 열심히 연산을 공부하는데도 왜 어떤 아이들은 수학 문제를 잘 풀지 못하는 것일까요? 그 이유는 현재 연산 학습의 목적이 단지 '계산을 잘 하는 것'이 되어버렸기 때문입니다. 연산은 연산 자체가 목적이 될 수 없으며 수학의 진짜 목표인 문제를 잘 풀기 위한 수단으로 연산을 학습해야 합니다.

과거 초등 수학 교과서의 연산 단원은 ① 원리와 연습 ② 문장제 활용의 단순한 구성이었습니다만 요즘의 교과서는 많이 달라졌습니다. 원리와 연습은 그대로이거나 조금 줄었지만 연산을 응용하는 방식은 좀 더 다양해졌습니다. 계산 능력의 향상만을 꾀하는 것이 아니라 여러 가지 퍼즐이나 수학적 상황 등을 해결할 수 있는 '응용력'에 초점을 맞추고 있다는 것을 보여주는 변화입니다. 따라서 저희는 연산 학습지도 원리나 연습 위주에서 벗어나 실제 문제를 해결할 수 있는 능력에 포인트를 맞추어야 힌다고 생각합니다.

'연산은 잘 하는데 수학 문제는 왜 못 풀까요?'에 대한 대답이자 대안으로 저희는 「응용연산」이라는 새로운 컨셉의 연산 학습지를 만들었습니다. 연산 원리를 이해하고 연습하는 것에 그치지 않고, 익힌 것을 활용하는 방법을 바로 보여줄 수 있어야 아이들이 수학 문제에 연산을 효과적으로 적용할 수 있습니다. 연습은 꼭 필요한 만큼만 하고, 더 중요한 응용 문제에 바로 도전함으로써 연산과 문제 해결이 단절되지 않게 하는 것이 「응용연산」에서 기대하는 가장 큰 목표입니다.

「응용연산」을 통해 아이들이 왜 연산을 해야 하는지 스스로 느낄 수 있을 것이라 자신합니다. 이제 연산은 '원리'나 '연습'이 아닌 스스로 문제를 해결할 수 있는 '응용력'입니다.

응용연산의 구성과 특징

- 매일 부담없이 4쪽씩 연산 학습
- 매주 4일간 단계별 연산 학습과 응용 문제를 통한 연산 실력 확인
- 매주 1일 형성평가로 테스트 및 복습

주차별 구성

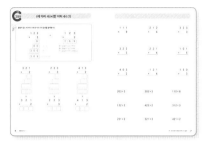

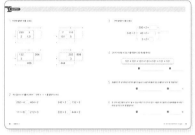

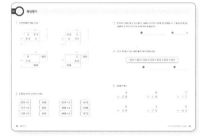

원리연산
대표 문제를 통해 학습하는 매일 새로운 단계별 연산 학습

응용연산
기본 문제와 응용 문제를 통한 응용력과 문제해결력 증진

형성평가
가장 중요한 유형을 다시 한번 복습하며 주차 학습 마무리

정답 및 해설

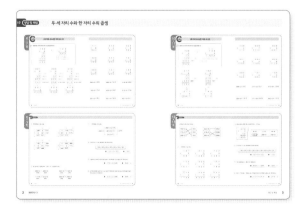

문제와 답을 한눈에 볼 수 있습니다.

이 책의 차례

1주차

두세 자리 수와 한 자리 수의 곱셈

큰 수의 곱셈 원리 알아보기

(세 자리 수)×(한 자리 수) (1)

올림이 없는 세 자리 수와 한 자리 수의 곱셈을 알아봅시다.

$$
\begin{array}{r}
1 \quad 2 \quad 3 \\
\times \qquad 3 \\
\hline
9 \quad \leftarrow 3 \times 3 \\
6 \quad 0 \quad \leftarrow 20 \times 3 \\
3 \quad 0 \quad 0 \quad \leftarrow 100 \times 3 \\
\hline
3 \quad 6 \quad 9 \quad \leftarrow 9 + 60 + 300
\end{array}
$$

➡

$$
\begin{array}{r}
1 \quad 2 \quad 3 \\
\times \qquad 3 \\
\hline
3 \quad 6 \quad 9
\end{array}
$$

3과 3을 곱하여 일의 자리에,
2와 3을 곱하여 십의 자리에,
1과 3을 곱하여 백의 자리에 씁니다.

$$
\begin{array}{r}
3 \quad 2 \quad 1 \\
\times \qquad 2 \\
\hline
\square \\
\square \\
\square \\
\square
\end{array}
$$

$$
\begin{array}{r}
2 \quad 3 \quad 3 \\
\times \qquad 3 \\
\hline
\square \\
\square \\
\square \\
\square
\end{array}
$$

$$
\begin{array}{r}
4 \quad 1 \quad 3 \\
\times \qquad 2 \\
\hline
\square \\
\square \\
\square \\
\square
\end{array}
$$

⬇

$$
\begin{array}{r}
3 \quad 2 \quad 1 \\
\times \qquad 2 \\
\hline
\square \quad \square \quad \square
\end{array}
$$

$$
\begin{array}{r}
2 \quad 3 \quad 3 \\
\times \qquad 3 \\
\hline
\square \quad \square \quad \square
\end{array}
$$

$$
\begin{array}{r}
4 \quad 1 \quad 3 \\
\times \qquad 2 \\
\hline
\square \quad \square \quad \square
\end{array}
$$

$$\begin{array}{r} 1\ 1\ 1 \\ \times\quad 9 \\ \hline \end{array}$$

$$\begin{array}{r} 2\ 1\ 2 \\ \times\quad 4 \\ \hline \end{array}$$

$$\begin{array}{r} 3\ 2\ 3 \\ \times\quad 3 \\ \hline \end{array}$$

$$\begin{array}{r} 3\ 2\ 2 \\ \times\quad 3 \\ \hline \end{array}$$

$$\begin{array}{r} 2\ 2\ 1 \\ \times\quad 4 \\ \hline \end{array}$$

$$\begin{array}{r} 1\ 0\ 1 \\ \times\quad 5 \\ \hline \end{array}$$

$$\begin{array}{r} 4\ 0\ 3 \\ \times\quad 2 \\ \hline \end{array}$$

$$\begin{array}{r} 1\ 2\ 1 \\ \times\quad 4 \\ \hline \end{array}$$

$$\begin{array}{r} 1\ 3\ 0 \\ \times\quad 3 \\ \hline \end{array}$$

203×3

303×3

110×8

132×2

423×2

312×3

231×2

321×3

421×2

1 빈칸에 알맞은 수를 쓰세요.

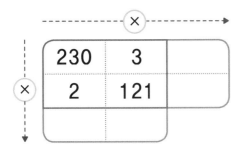

×		
230	3	
2	121	

×		
7	110	
101	5	

×		
132		264
3		
	466	

×		
	202	808
	3	
444		

2 계산 결과의 크기를 비교하여 ◯ 안에 >, =, <를 알맞게 쓰세요.

202×4 ◯ 404×2

242×2 ◯ 132×3

111×6 ◯ 212×3

333×3 ◯ 444×2

3 □ 안에 알맞은 수를 쓰세요.

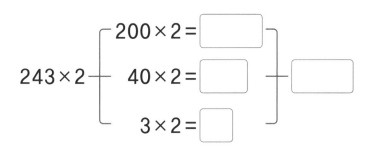

$$243 \times 2 \begin{cases} 200 \times 2 = \boxed{} \\ 40 \times 2 = \boxed{} \\ 3 \times 2 = \boxed{} \end{cases} \boxed{}$$

4 간단히 계산할 수 있는 식을 만들어 다음 계산을 하세요.

$$101 + 101 + 101 + 101 + 101 + 101 + 101$$

식 _____   답 _____

5 초콜릿이 한 상자에 210개씩 들어 있습니다. 4상자에 들어 있는 초콜릿은 모두 몇 개일까요?

식 _____   답 _____ 개

6 한 번에 423명의 승객이 탈 수 있는 비행기가 빈자리 없이 서울과 부산을 한 번 왕복했을 때 비행기에 탄 승객은 모두 몇 명일까요?

식 _____   답 _____ 명

(세 자리 수)×(한 자리 수) (2)

개념
원리

올림이 있는 세 자리 수와 한 자리 수의 곱셈을 알아봅시다.

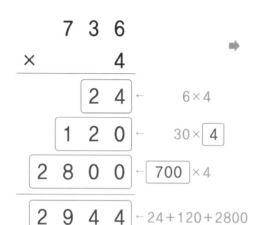

```
      7  3  6
   ×         4
   ─────────────
         2  4   ←  6 × 4
      1  2  0   ←  30 × 4
   2  8  0  0   ←  700 × 4
   ─────────────
   2  9  4  4   ← 24 + 120 + 2800
```

➡

```
      1     2
      7  3  6
   ×         4
   ─────────────
   2  9  4  4
```

일의 자리를 계산한 결과로 나온 **24**를 십의 자리로,
십의 자리를 계산한 결과로 나온 **14**를 백의 자리로
올림해 줍니다.

```
      2  1  7
   ×         5
   ─────────────
      [    ]   ←  7 × 5
      [    ]   ←  10 × [  ]
   [      ]   ← [  ] × 5
   ─────────────
   [      ]   ← 35 + 50 + 1000
```

⬇

```
     [  ]
      2  1  7
   ×         5
   ─────────────
   [  ][  ][  ][  ]
```

```
      1  9  2
   ×         3
   ─────────────
      [    ]   ←  2 × 3
   [      ]   ←  90 × [  ]
   [      ]   ← [  ] × 3
   ─────────────
   [      ]   ← 6 + 270 + 300
```

⬇

```
     [  ]
      1  9  2
   ×         3
   ─────────────
   [  ][  ][  ]
```

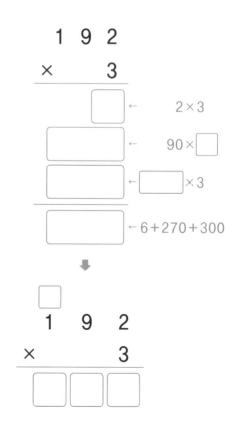

```
    1 3 9
  ×     2
```

```
    5 0 8
  ×     7
```

```
    6 2 9
  ×     3
```

```
    6 5 1
  ×     5
```

```
    2 9 2
  ×     4
```

```
    8 9 0
  ×     8
```

```
    4 0 7
  ×     2
```

```
    1 2 5
  ×     4
```

```
    4 8 0
  ×     3
```

309 × 3   217 × 3   912 × 8

320 × 6   571 × 6   642 × 3

1 관계있는 것끼리 선으로 이으세요.

104×4	519
173×3	516
258×2	416

342×6	2052
418×5	2368
592×4	2090

2 □ 안에 알맞은 수를 쓰세요.

```
    1 2 □
  ×     3
    3 8 1
```

```
    2 1 4
  ×     □
  1 2 8 4
```

```
    7 3 □
  ×     2
  1 4 6 4
```

```
    1 □ 3
  ×     7
  1 0 7 1
```

```
    3 2 5
  ×     □
  1 6 2 5
```

```
    1 □ 7
  ×     4
    7 8 8
```

```
    □ 7 2
  ×     2
  1 7 4 4
```

```
    5 2 8
  ×     □
  4 2 2 4
```

```
    □ 5 2
  ×     6
  3 9 1 2
```

3 색칠된 부분은 실제로 어떤 수의 곱인지 찾아 ◯표 하세요.

$$\begin{array}{r} 2\ 7\ 8 \\ \times\ \ \ \ 9 \\ \hline 7\ 2 \\ 6\ 3\ 0 \\ 1\ 8\ 0\ 0 \end{array}$$

8×9	7×9	78×9
70×9	200×9	700×9

4 간단히 계산할 수 있는 식을 만들어 다음 계산을 하세요.

137＋137＋137＋137＋137＋137＋137＋137＋137

식 _____   답 _____

5 1년은 365일입니다. 3년은 모두 며칠일까요?

식 _____   답 _____ 일

6 매일 217대의 버스가 출발하는 버스 터미널에서 일주일 동안 출발하는 버스는 모두 몇 대일까요?

식 _____   답 _____ 대

(한 자리 수)×(두 자리 수)

개념
원리

한 자리 수와 두 자리 수의 곱셈을 알아봅시다.

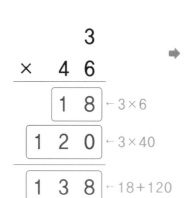

$$
\begin{array}{r}
3 \\
\times\ 4\ 6 \\
\hline
\boxed{1\ 8} \leftarrow 3 \times 6 \\
\boxed{1\ 2\ 0} \leftarrow 3 \times 40 \\
\hline
\boxed{1\ 3\ 8} \leftarrow 18+120
\end{array}
$$

➡

$$
\begin{array}{r}
\boxed{1} \\
3 \\
\times\ 4\ 6 \\
\hline
\boxed{1}\ \boxed{3}\ \boxed{8}
\end{array}
$$

일의 자리를 계산한 결과로 나온
18을 십의 자리로 올림해 줍니다.

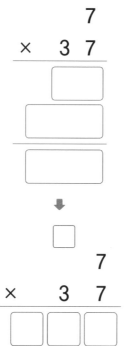

$$
\begin{array}{r}
5 \\
\times\ 9\ 3 \\
\hline
\boxed{} \\
\boxed{} \\
\hline
\boxed{}
\end{array}
$$

⬇ □

$$
\begin{array}{r}
5 \\
\times\ 9\ 3 \\
\hline
\boxed{\ }\ \boxed{\ }\ \boxed{\ }
\end{array}
$$

$$
\begin{array}{r}
7 \\
\times\ 3\ 7 \\
\hline
\boxed{} \\
\boxed{} \\
\hline
\boxed{}
\end{array}
$$

⬇ □

$$
\begin{array}{r}
7 \\
\times\ 3\ 7 \\
\hline
\boxed{\ }\ \boxed{\ }\ \boxed{\ }
\end{array}
$$

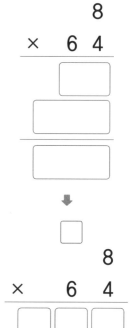

$$
\begin{array}{r}
8 \\
\times\ 6\ 4 \\
\hline
\boxed{} \\
\boxed{} \\
\hline
\boxed{}
\end{array}
$$

⬇ □

$$
\begin{array}{r}
8 \\
\times\ 6\ 4 \\
\hline
\boxed{\ }\ \boxed{\ }\ \boxed{\ }
\end{array}
$$

$$\begin{array}{r} 2 \\ \times\ 3\ 7 \\ \hline \end{array}$$
$$\begin{array}{r} 5 \\ \times\ 1\ 9 \\ \hline \end{array}$$
$$\begin{array}{r} 3 \\ \times\ 2\ 8 \\ \hline \end{array}$$

$$\begin{array}{r} 5 \\ \times\ 4\ 2 \\ \hline \end{array}$$
$$\begin{array}{r} 4 \\ \times\ 4\ 6 \\ \hline \end{array}$$
$$\begin{array}{r} 6 \\ \times\ 7\ 3 \\ \hline \end{array}$$

$$\begin{array}{r} 8 \\ \times\ 1\ 9 \\ \hline \end{array}$$
$$\begin{array}{r} 9 \\ \times\ 5\ 5 \\ \hline \end{array}$$
$$\begin{array}{r} 7 \\ \times\ 6\ 8 \\ \hline \end{array}$$

6×16 5×16 2×98

7×28 4×28 6×49

9×59 8×59 7×87

1 ☐ 안에 알맞은 수를 쓰세요.

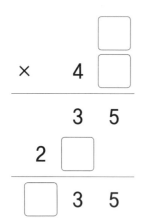

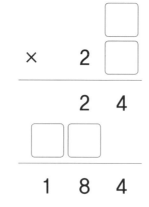

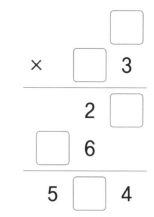

2 ☐ 안에 들어갈 수 있는 수에 모두 ○표 하세요.

$4 \times 28 > \boxed{} \times 27$

| 2 | 3 | 4 | 5 | 6 |

$\boxed{} \times 35 > 8 \times 24$

| 3 | 4 | 5 | 6 | 7 |

$6 \times 17 > \boxed{} \times 14$

| 2 | 3 | 4 | 5 | 6 |

$\boxed{} \times 38 > 5 \times 28$

| 3 | 4 | 5 | 6 | 7 |

3 주어진 수 카드를 한 번씩만 사용하여 계산 결과가 더 큰 곱셈식을 만들고 곱을 구하세요.

4 민지는 동화책을 하루에 8쪽씩 24일 동안 읽었습니다. 민지가 읽은 동화책은 모두 몇 쪽인지 두 가지 식을 만들어 구하세요.

답 _____ 쪽

5 운동장에 학생들이 한 줄에 7명씩 29줄로 서 있습니다. 줄을 선 학생들은 모두 몇 명일까요?

식 _____ 답 _____ 명

(두 자리 수)×(몇십)

개념
원리

몇십과 몇십, 두 자리 수와 몇십의 곱을 알아봅시다.

$40 \times 90 = \boxed{36}\,00$

$4 \times 9 = 36$

(몇)×(몇)을 계산하고
뒤에 0을 두 개 붙여 줍니다.

$26 \times 70 = \boxed{182}\,0$

$26 \times 7 = 182$

(두 자리 수)×(몇)을 계산하고
뒤에 0을 한 개 붙여 줍니다.

$30 \times 80 = \boxed{}\,00$

$45 \times 20 = \boxed{}\,0$

$60 \times 70 = \boxed{}\,00$

$85 \times 30 = \boxed{}\,0$

$90 \times 90 = \boxed{}\,00$

$38 \times 60 = \boxed{}\,0$

$40 \times 70 = \boxed{}\,00$

$76 \times 40 = \boxed{}\,0$

30×80 50×90 80×70

20×39 50×66 70×98

$$\begin{array}{r} 4\ 0 \\ \times\ \ 2\ 0 \\ \hline \end{array}$$ $$\begin{array}{r} 6\ 0 \\ \times\ \ 7\ 0 \\ \hline \end{array}$$ $$\begin{array}{r} 9\ 0 \\ \times\ \ 6\ 0 \\ \hline \end{array}$$

$$\begin{array}{r} 4\ 3 \\ \times\ \ 5\ 0 \\ \hline \end{array}$$ $$\begin{array}{r} 7\ 3 \\ \times\ \ 6\ 0 \\ \hline \end{array}$$ $$\begin{array}{r} 9\ 8 \\ \times\ \ 8\ 0 \\ \hline \end{array}$$

$$\begin{array}{r} 3\ 0 \\ \times\ \ 1\ 9 \\ \hline \end{array}$$ $$\begin{array}{r} 8\ 0 \\ \times\ \ 5\ 5 \\ \hline \end{array}$$ $$\begin{array}{r} 9\ 0 \\ \times\ \ 6\ 8 \\ \hline \end{array}$$

1 빈칸에 알맞은 수를 쓰세요.

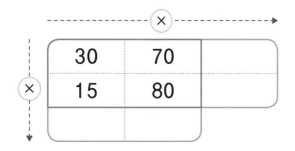

×		
30	70	
15	80	

×		
16	60	
20	50	

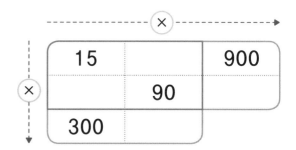

×		
50		3000
40		
	720	

×		
15		900
	90	
300		

2 ☐ 안에 알맞은 수를 쓰세요.

$\boxed{} \times 20 = 600$　　　$80 \times \boxed{} = 2400$　　　$\boxed{} \times 60 = 5400$

$\boxed{} \times 12 = 720$　　　$13 \times \boxed{} = 390$　　　$\boxed{} \times 50 = 1550$

3 ☐ 안에 들어갈 수 있는 수 중에서 가장 작은 수를 구하세요.

$$47 \times \boxed{}0 > 1500$$

_____

4 ☐ 안에 들어갈 수 있는 수 중에서 가장 큰 수를 구하세요.

$$\boxed{}0 \times 35 < 2500$$

_____

5 재현이는 50원짜리 동전 70개를 모았습니다. 재현이가 모은 50원짜리 동전은 모두 얼마일까요?

식 _____   답 _____ 원

6 호성이의 심장은 1분에 68번 뜁니다. 호성이의 심장이 같은 빠르기로 1시간 동안 뛴다면 모두 몇 번 뛸까요?

식 _____   답 _____ 번

1 빈칸에 알맞은 수를 쓰세요.

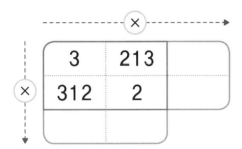

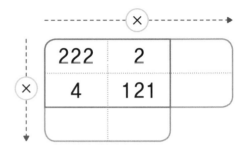

2 관계있는 것끼리 선으로 이으세요.

325×2		508		524×3		1472
127×4		650		368×4		1398
135×3		405		466×3		1572

3 한 번에 **210**명이 탈 수 있는 열차가 서울에서 대구까지 하루에 **3**번 운행합니다. 이 열차로 하루 동안 서울에서 대구까지 갈 수 있는 승객은 최대 몇 명일까요?

식 _____ 답 _____ 명

4 간단히 계산할 수 있는 식을 만들어 다음 계산을 하세요.

$$352 + 352 + 352 + 352 + 352 + 352 + 352$$

식 _____ 답 _____

5 곱셈을 하세요.

$$\begin{array}{r} 4 \\ \times\ 2\ 9 \\ \hline \end{array}$$
$$\begin{array}{r} 8 \\ \times\ 1\ 6 \\ \hline \end{array}$$
$$\begin{array}{r} 7 \\ \times\ 1\ 7 \\ \hline \end{array}$$

$$\begin{array}{r} 6 \\ \times\ 3\ 8 \\ \hline \end{array}$$
$$\begin{array}{r} 3 \\ \times\ 7\ 5 \\ \hline \end{array}$$
$$\begin{array}{r} 5 \\ \times\ 4\ 3 \\ \hline \end{array}$$

6　바구니 **1**개에 사탕이 **72**개씩 들어 있을 때 바구니 **7**개에 들어 있는 사탕은 모두 몇 개일까요?

식 _____　　　답 _____ 개

7　☐ 안에 알맞은 수를 쓰세요.

☐ × 70 = 2800　　　60 × ☐ = 4800　　　☐ × 60 = 3000

☐ × 14 = 980　　　25 × ☐ = 500　　　☐ × 70 = 2100

8　장난감 로봇을 하루에 **90**개씩 만드는 공장이 있습니다. 이 공장에서 **30**일 동안 만들 수 있는 장난감 로봇은 모두 몇 개일까요?

식 _____　　　답 _____ 개

2주차

두 자리 수끼리의 곱셈과 활용

곱하는 수가 두 자리 수인 곱셈

두 자리 수끼리의 곱셈 (1)

개념
원리

곱이 세 자리 수인 두 자리 수끼리의 곱셈을 알아봅시다.

$$
\begin{array}{cccc}
 & & 1 & 3 \\
\times & & 2 & 6 \\
\hline
 & & \boxed{7} & \boxed{8} \\
 & \boxed{2} & \boxed{6} & \\
\hline
 & \boxed{3} & \boxed{3} & \boxed{8} \\
\end{array}
$$

←13× 6

←13× 2

13과 일의 자리 6을 먼저 곱하고
13과 십의 자리 2를 곱한 후
자리에 맞게 더합니다.

$$
\begin{array}{cccc}
 & & 1 & 2 \\
\times & & 8 & 2 \\
\hline
 & & \square & \square \\
 & \square & \square & \\
\hline
 & \square & \square & \square \\
\end{array}
$$

←12×□

←12×□

$$
\begin{array}{cccc}
 & & 2 & 8 \\
\times & & 2 & 3 \\
\hline
 & & \square & \square \\
 & \square & \square & \\
\hline
 & \square & \square & \square \\
\end{array}
$$

←28×□

←28×□

$$
\begin{array}{cccc}
 & & 2 & 5 \\
\times & & 3 & 4 \\
\hline
 & \square & \square & \square \\
 & \square & \square & \\
\hline
 & \square & \square & \square \\
\end{array}
$$

←25×□

←25×□

$$
\begin{array}{cccc}
 & & 4 & 2 \\
\times & & 2 & 1 \\
\hline
 & & \square & \square \\
 & \square & \square & \\
\hline
 & \square & \square & \square \\
\end{array}
$$

←42×□

←42×□

$$\begin{array}{r} 1\ 7 \\ \times\ 5\ 2 \\ \hline \end{array}$$

$$\begin{array}{r} 3\ 2 \\ \times\ 2\ 4 \\ \hline \end{array}$$

$$\begin{array}{r} 2\ 9 \\ \times\ 2\ 2 \\ \hline \end{array}$$

$$\begin{array}{r} 3\ 8 \\ \times\ 1\ 3 \\ \hline \end{array}$$

$$\begin{array}{r} 2\ 7 \\ \times\ 3\ 2 \\ \hline \end{array}$$

$$\begin{array}{r} 1\ 5 \\ \times\ 3\ 6 \\ \hline \end{array}$$

$$\begin{array}{r} 2\ 3 \\ \times\ 4\ 3 \\ \hline \end{array}$$

$$\begin{array}{r} 5\ 1 \\ \times\ 1\ 8 \\ \hline \end{array}$$

$$\begin{array}{r} 3\ 3 \\ \times\ 2\ 6 \\ \hline \end{array}$$

43×15

26×34

19×18

36×21

23×26

14×24

1 다음과 같이 배와 반을 이용하여 곱셈을 하세요.

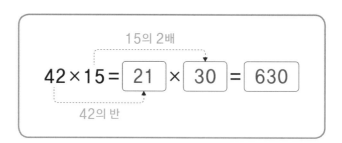

$$64 \times 15 = \boxed{} \times \boxed{}$$
$$= \boxed{}$$

$$18 \times 35 = \boxed{} \times \boxed{}$$
$$= \boxed{}$$

$$25 \times 22 = \boxed{} \times \boxed{}$$
$$= \boxed{}$$

$$35 \times 14 = \boxed{} \times \boxed{}$$
$$= \boxed{}$$

2 ☐ 안에 알맞은 수를 쓰세요.

$$\boxed{} \times 10 = 16 \times 15$$

$$30 \times \boxed{} = 15 \times 64$$

$$\boxed{} \times 20 = 24 \times 25$$

$$60 \times \boxed{} = 65 \times 12$$

$$\boxed{} \times 40 = 45 \times 16$$

$$10 \times \boxed{} = 32 \times 25$$

3 ☐ 안에 알맞은 수를 쓰세요.

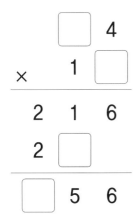

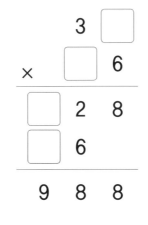

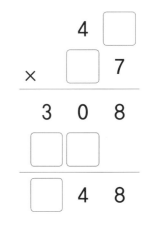

4 수진이네 학교에는 모두 **24**개의 교실이 있습니다. 각 교실에 학생용 책상이 **28**개씩 있다면 수진이네 학교에 있는 학생용 책상은 모두 몇 개일까요?

식 _____   답 _____ 개

5 종호는 책을 하루에 **25**쪽씩 읽으려고 합니다. **3**주 동안 매일 책을 읽는다면 책은 모두 몇 쪽을 읽을 수 있을까요?

식 _____   답 _____ 쪽

6 어떤 수에 **18**을 곱해야 할 것을 잘못하여 **18**을 더했더니 **45**가 되었습니다. 바르게 계산하면 얼마일까요?

잘못된 식: 식 _____   어떤 수: _____

바르게 계산하기: 식 _____   답 _____

두 자리 수끼리의 곱셈 (2)

개념
원리

두 자리 수끼리의 곱셈을 알아봅시다.

```
      2 7
  ×   8 2
  ─────────
      5 4
  2 1 6
  ─────────
  2 2 1 4
```

27과 일의 자리 2를 먼저 곱하고
27과 십의 자리 8을 곱한 값을 더합니다.

```
      3 8
  ×   4 5
  ─────────
    1 9 0
  1 5 2
  ─────────
  1 7 1 0
```

38과 일의 자리 5를 먼저 곱하고
38과 십의 자리 4를 곱한 값을 더합니다.

```
      2 7
  ×   6 2
  ─────────
      □ □
    □ □ □
  ─────────
  □ □ □ □
```

```
      5 4
  ×   7 3
  ─────────
    □ □ □
    □ □ □
  ─────────
  □ □ □ □
```

```
      8 2
  ×   4 1
  ─────────
      □ □
    □ □ □
  ─────────
  □ □ □ □
```

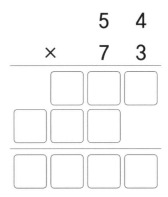

```
      6 3
  ×   5 9
  ─────────
    □ □ □
    □ □ □
  ─────────
  □ □ □ □
```

$$
\begin{array}{r}
4\ 1 \\
\times\ \ 2\ 8 \\
\hline
\end{array}
\qquad
\begin{array}{r}
6\ 3 \\
\times\ \ 7\ 7 \\
\hline
\end{array}
\qquad
\begin{array}{r}
9\ 0 \\
\times\ \ 6\ 3 \\
\hline
\end{array}
$$

$$
\begin{array}{r}
5\ 2 \\
\times\ \ 3\ 4 \\
\hline
\end{array}
\qquad
\begin{array}{r}
8\ 3 \\
\times\ \ 4\ 6 \\
\hline
\end{array}
\qquad
\begin{array}{r}
2\ 3 \\
\times\ \ 6\ 5 \\
\hline
\end{array}
$$

$$
\begin{array}{r}
3\ 8 \\
\times\ \ 9\ 7 \\
\hline
\end{array}
\qquad
\begin{array}{r}
8\ 0 \\
\times\ \ 5\ 5 \\
\hline
\end{array}
\qquad
\begin{array}{r}
4\ 2 \\
\times\ \ 6\ 8 \\
\hline
\end{array}
$$

24×80 57×91 82×74

43×30 49×48 38×28

1 빈칸에 알맞은 수를 쓰세요.

× (45)

33	1485
83	
60	

× (29)

93	2697
40	
75	

2 ☐ 안에 알맞은 수를 쓰세요.

```
    ☐  8
×   6  ☐
─────────
   1  9  6
1  ☐  8
─────────
1  ☐  7  6
```

```
    ☐  3
×   3  ☐
─────────
   4  7  7
☐  5  9
─────────
2  ☐  6  7
```

```
    7  ☐
×   ☐  4
─────────
   2  9  6
☐  1  ☐
─────────
5  4  7  6
```

```
    9  ☐
×   ☐  2
─────────
   1  9  2
4  ☐  0
─────────
4  ☐  9  2
```

3 계산에서 틀린 곳을 찾아 바르게 고치세요.

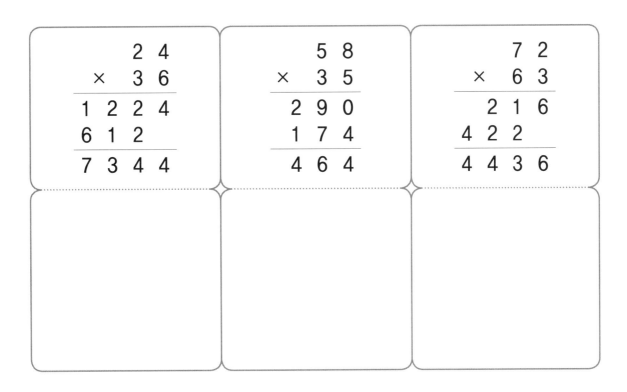

$$\begin{array}{r} 2\ 4 \\ \times\ 3\ 6 \\ \hline 1\ 2\ 2\ 4 \\ 6\ 1\ 2 \\ \hline 7\ 3\ 4\ 4 \end{array}$$

$$\begin{array}{r} 5\ 8 \\ \times\ 3\ 5 \\ \hline 2\ 9\ 0 \\ 1\ 7\ 4 \\ \hline 4\ 6\ 4 \end{array}$$

$$\begin{array}{r} 7\ 2 \\ \times\ 6\ 3 \\ \hline 2\ 1\ 6 \\ 4\ 2\ 2 \\ \hline 4\ 4\ 3\ 6 \end{array}$$

4 밤을 큰 봉지에 54개씩 26봉지에 담고, 작은 봉지에 24개씩 13봉지에 담았습니다. 봉지에 담은 밤은 모두 몇 개일까요?

_____ 개

5 어떤 수에 57을 곱해야 하는데 잘못하여 57을 더했더니 99가 되었습니다. 바르게 계산하면 얼마일까요?

잘못된 식: 식 _____   어떤 수: _____

바르게 계산하기: 식 _____   답 _____

여러 가지 곱셈

개념
원리

여러 가지 곱셈을 알아봅시다.

(세 자리 수)×(한 자리 수)

```
    1 1
  3 6 5
×     3
1 0 9 5
```

(한 자리 수)×(두 자리 수)

```
      3
      8
× 5 4
4 3 2
```

(두 자리 수)×(두 자리 수)

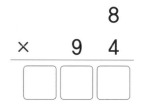

```
    7 6
×   4 5
  3 8 0
3 0 4
3 4 2 0
```

```
  8 2 3
×     4
□ □ □ □
```

```
  5 9 3
×     3
□ □ □ □
```

```
  2 7 5
×     6
□ □ □ □
```

```
      2
×   9 3
  □ □ □
```

```
      7
×   1 4
    □ □
```

```
      8
×   9 4
  □ □ □
```

```
    1 8
×   4 5
    □ □
  □ □
□ □ □
```

```
    3 7
×   2 6
  □ □ □
  □ □
□ □ □
```

```
    6 6
×   3 8
  □ □ □
  □ □
□ □ □
```

$$
\begin{array}{r}
1\ 0\ 5 \\
\times \quad\ \ 2 \\
\hline
\end{array}
\qquad
\begin{array}{r}
2\ 1\ 0 \\
\times \quad\ \ 4 \\
\hline
\end{array}
\qquad
\begin{array}{r}
5\ 0\ 3 \\
\times \quad\ \ 5 \\
\hline
\end{array}
$$

$$
\begin{array}{r}
3\ 6\ 5 \\
\times \quad\ \ 3 \\
\hline
\end{array}
\qquad
\begin{array}{r}
2\ 8\ 9 \\
\times \quad\ \ 6 \\
\hline
\end{array}
\qquad
\begin{array}{r}
9\ 7\ 5 \\
\times \quad\ \ 4 \\
\hline
\end{array}
$$

$$
\begin{array}{r}
8 \\
\times\ 7\ 1 \\
\hline
\end{array}
\qquad
\begin{array}{r}
5 \\
\times\ 2\ 7 \\
\hline
\end{array}
\qquad
\begin{array}{r}
9 \\
\times\ 9\ 9 \\
\hline
\end{array}
$$

$$
\begin{array}{r}
2\ 0 \\
\times\ 6\ 0 \\
\hline
\end{array}
\qquad
\begin{array}{r}
5\ 1 \\
\times\ 4\ 0 \\
\hline
\end{array}
\qquad
\begin{array}{r}
7\ 0 \\
\times\ 6\ 4 \\
\hline
\end{array}
$$

$$
\begin{array}{r}
2\ 1 \\
\times\ 3\ 2 \\
\hline
\end{array}
\qquad
\begin{array}{r}
3\ 7 \\
\times\ 1\ 4 \\
\hline
\end{array}
\qquad
\begin{array}{r}
3\ 5 \\
\times\ 2\ 9 \\
\hline
\end{array}
$$

1 다음과 같이 배와 반을 이용하여 곱셈을 하세요.

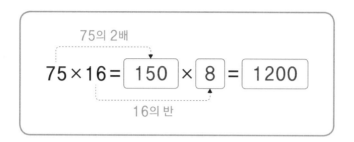

75의 2배

$75 \times 16 = \boxed{150} \times \boxed{8} = \boxed{1200}$

16의 반

$55 \times 18 = \boxed{} \times \boxed{}$

$ = \boxed{}$

$65 \times 12 = \boxed{} \times \boxed{}$

$ = \boxed{}$

$14 \times 85 = \boxed{} \times \boxed{}$

$ = \boxed{}$

$16 \times 55 = \boxed{} \times \boxed{}$

$ = \boxed{}$

2 ☐ 안에 들어갈 수 있는 수를 모두 쓰세요.

$24 \times 50 < 250 \times \boxed{} < 42 \times 50$

_____

$250 \times 4 < 85 \times \boxed{} < 215 \times 6$

_____

3   약속에 맞게 다음을 계산하세요.

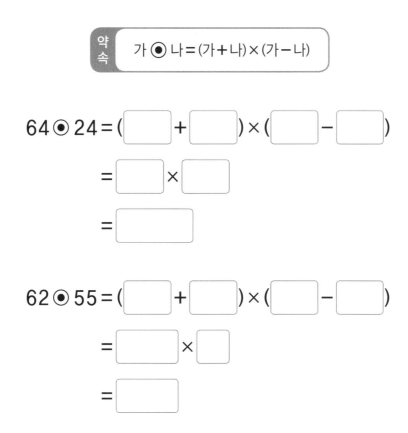

약속   가 ⊙ 나 = (가 + 나) × (가 − 나)

64 ⊙ 24 = (⬚ + ⬚) × (⬚ − ⬚)

= ⬚ × ⬚

= ⬚

62 ⊙ 55 = (⬚ + ⬚) × (⬚ − ⬚)

= ⬚ × ⬚

= ⬚

4   과일 가게에 배가 한 상자에 8개씩 156상자, 사과가 한 상자에 12개씩 72상자 있습니다. 어느 과일 이 몇 개 더 많을까요?

_____ 가 _____ 개 더 많습니다.

5   어느 방의 한 쪽 벽면에 타일을 붙이는 데 가로로 32장, 세로로 27장의 타일이 필요하다고 합니다. 똑같은 크기의 세 벽면에 타일을 붙이려면 타일은 모두 몇 개 필요할까요?

_____ 개

수 카드와 곱셈

 개념 원리

수 카드 4장을 한 번씩 사용하여 (세 자리 수) × (한 자리 수)의 곱셈식을 만들려고 합니다. 곱이 가장 클 때와 가장 작을 때의 곱셈식을 만들고 곱을 각각 구해 봅시다.

2	4
3	8

곱이 가장 클 때

```
    4 3 2
  ×     8
  -------
    3 4 5 6
```

곱이 가장 크려면 곱하는 수에 가장 큰 수를 넣고 나머지 수로 가장 큰 세 자리 수를 만듭니다.

곱이 가장 작을 때

```
    3 4 8
  ×     2
  -------
    6 9 6
```

곱이 가장 작으려면 곱하는 수에 가장 작은 수를 넣고 나머지 수로 가장 작은 세 자리 수를 만듭니다.

1	3
2	6

곱이 가장 클 때

곱이 가장 작을 때

```
    □ □ □
  ×     □
  -------
  □ □ □ □
```

5	4
7	9

곱이 가장 클 때

곱이 가장 작을 때

수 카드를 사용하여 만든
두 자리 수끼리의 곱셈을 하고
가장 큰 곱에 ◯표 하세요.

2	7
3	5

```
    7 3
  ×  5 2
```

```
    2 7
  ×  3 5
```

```
    7 2
  ×  5 3
```

5	1
2	4

```
    4 1
  ×  5 2
```

```
    4 2
  ×  5 1
```

```
    5 1
  ×  2 4
```

3	0
2	7

```
    7 0
  ×  3 2
```

```
    3 0
  ×  7 2
```

```
    7 3
  ×  2 0
```

4	9
5	6

```
    9 4
  ×  5 6
```

```
    6 5
  ×  9 4
```

```
    6 4
  ×  9 5
```

3	7
2	6

```
    7 3
  ×  6 2
```

```
    7 6
  ×  3 2
```

```
    6 3
  ×  7 2
```

1 주어진 수 카드를 한 번씩 사용하여 가장 큰 두 자리 수와 가장 작은 두 자리 수를 만들고 두 수의 곱을 구하세요.

| 3 | 7 |
| 2 | 4 |

가장 큰 두 자리 수: 74

가장 작은 두 자리 수: 23

두 수의 곱

$$\begin{array}{r} 7\ 4 \\ \times\ \ 2\ 3 \\ \hline 1\ 7\ 0\ 2 \end{array}$$

| 2 | 6 |
| 5 | 1 |

가장 큰 두 자리 수: ☐

가장 작은 두 자리 수: ☐

두 수의 곱

$$\begin{array}{r} \square\ \square \\ \times\ \ \square\ \square \\ \hline \end{array}$$

| 5 | 3 |
| 0 | 8 |

가장 큰 두 자리 수: ☐

가장 작은 두 자리 수: ☐

두 수의 곱

$$\begin{array}{r} \square\ \square \\ \times\ \ \square\ \square \\ \hline \end{array}$$

2 수 카드를 한 번씩만 사용하여 계산 결과가 가장 큰 곱셈식을 만들고 곱을 구하세요.

| 2 | 5 | 6 |

☐☐ × 3☐ = ☐

| 1 | 7 | 4 |

5☐ × ☐☐ = ☐

3 민호는 동화책을 하루에 **38**쪽씩 **15**일 동안 읽었고, 위인전을 **25**쪽씩 **24**일 동안 읽었습니다. 민호는 동화책과 위인전 중 어느 책을 더 많이 읽었을까요?

_____

4 수 카드 **4**장을 사용하여 다음과 같은 두 가지 형태의 곱셈식을 만들 수 있습니다.

주어진 수 카드를 사용하여 곱이 가장 클 때와 가장 작을 때의 곱셈식을 만들고 곱을 각각 구하세요.

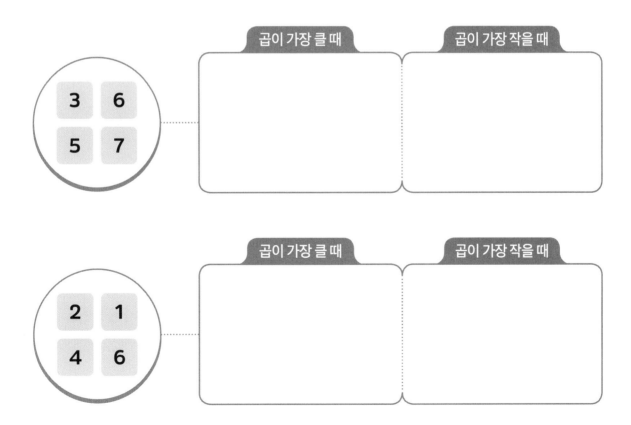

1 곱셈을 하세요.

$$
\begin{array}{r}
1\ 3 \\
\times\ \ 2\ 5 \\
\hline
\end{array}
$$

$$
\begin{array}{r}
2\ 8 \\
\times\ \ 3\ 1 \\
\hline
\end{array}
$$

$$
\begin{array}{r}
5\ 7 \\
\times\ \ 1\ 4 \\
\hline
\end{array}
$$

$$
\begin{array}{r}
4\ 8 \\
\times\ \ 1\ 5 \\
\hline
\end{array}
$$

$$
\begin{array}{r}
1\ 6 \\
\times\ \ 3\ 8 \\
\hline
\end{array}
$$

$$
\begin{array}{r}
4\ 1 \\
\times\ \ 2\ 3 \\
\hline
\end{array}
$$

$$
\begin{array}{r}
1\ 7 \\
\times\ \ 5\ 2 \\
\hline
\end{array}
$$

$$
\begin{array}{r}
4\ 2 \\
\times\ \ 2\ 2 \\
\hline
\end{array}
$$

$$
\begin{array}{r}
2\ 5 \\
\times\ \ 2\ 9 \\
\hline
\end{array}
$$

2 ☐ 안에 알맞은 수를 쓰세요.

$\boxed{} \times 20 = 25 \times 12$

$40 \times \boxed{} = 15 \times 48$

$\boxed{} \times 60 = 45 \times 16$

$10 \times \boxed{} = 18 \times 55$

$\boxed{} \times 30 = 35 \times 48$

$50 \times \boxed{} = 75 \times 14$

3 곱셈을 하세요.

$$\begin{array}{r} 5\ 6 \\ \times\ 3\ 8 \\ \hline \end{array}$$
$$\begin{array}{r} 3\ 7 \\ \times\ 4\ 9 \\ \hline \end{array}$$
$$\begin{array}{r} 2\ 6 \\ \times\ 9\ 3 \\ \hline \end{array}$$

$$\begin{array}{r} 7\ 3 \\ \times\ 2\ 9 \\ \hline \end{array}$$
$$\begin{array}{r} 6\ 2 \\ \times\ 8\ 5 \\ \hline \end{array}$$
$$\begin{array}{r} 4\ 6 \\ \times\ 4\ 2 \\ \hline \end{array}$$

$$\begin{array}{r} 7\ 8 \\ \times\ 8\ 3 \\ \hline \end{array}$$
$$\begin{array}{r} 4\ 2 \\ \times\ 5\ 8 \\ \hline \end{array}$$
$$\begin{array}{r} 9\ 5 \\ \times\ 7\ 3 \\ \hline \end{array}$$

4 어느 도서관의 책장에 과학 잡지는 46권씩 23줄이 꽂혀있고, 수학 잡지는 38권씩 34줄이 꽂혀있습니다. 이 도서관의 과학 잡지와 수학 잡지는 모두 몇 권일까요?

_____ 권

5 어떤 수에 49를 곱해야 하는데 잘못하여 49를 더했더니 72가 되었습니다. 바르게 계산하면 얼마일까요?

잘못된 식: 식 _____   어떤 수: _____

바르게 계산하기: 식 _____   답 _____

6 　☐ 안에 들어갈 수 있는 수를 모두 쓰세요.

$$30 \times 55 < 280 \times \square < 44 \times 55$$

$$320 \times 5 < 92 \times \square < 215 \times 9$$

$$71 \times 70 < 830 \times \square < 94 \times 80$$

7 　주어진 수 카드를 한 번씩 사용하여 계산 결과가 가장 큰 곱셈식을 만들고 곱을 구하세요.

| 3 | 4 | 9 |

$$7 \; \square \times \square\square = \boxed{}$$

| 2 | 6 | 8 |

$$\square\square \times \square \; 3 = \boxed{}$$

3주차

세·네 자리 수와 두 자리 수의 곱셈

큰 수의 곱셈 원리 적용하기

(네 자리 수)×(한 자리 수)

 개념
원리

네 자리 수와 한 자리 수의 곱셈을 알아봅시다.

```
      4 7 2 3
  ×         4
  ─────────────
        1 2    ←  3 ×4
        8 0    ←  20× 4
      2 8 0 0  ← 700 ×4
    1 6 0 0 0  ← 4000× 4
  ─────────────
    1 8 8 9 2
```

➡

```
      2       1
      4 7 2 3
  ×         4
  ─────────────
    1 8 8 9 2
```

일의 자리를 계산한 결과로 나온 **12**를 십의 자리로,
백의 자리를 계산한 결과로 나온 **28**을 천의 자리로
올림해 줍니다.

```
      1 1 6 7
  ×         3
  ─────────────
        □     ←  □ ×3
        □     ←  60× □
      □       ←  □ ×3
    □         ← 1000× □
  ─────────────
    □
```

⬇

```
      □ □
    1 1 6 7
  ×       3
  ─────────────
    □ □ □ □
```

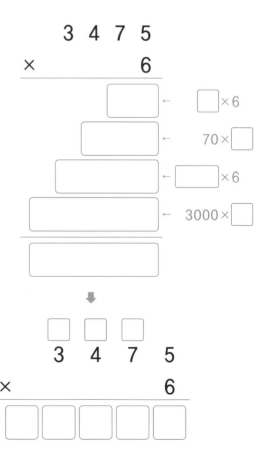

```
      3 4 7 5
  ×         6
  ─────────────
        □     ←  □ ×6
        □     ←  70× □
      □       ←  □ ×6
    □         ← 3000× □
  ─────────────
    □
```

⬇

```
      □ □ □
    3 4 7 5
  ×       6
  ─────────────
    □ □ □ □ □
```

```
    1 1 2 0              3 0 4 2              2 3 1 2
  ×         2          ×         4          ×         3
```

```
    2 1 7 2              4 0 9 1              5 2 1 6
  ×         4          ×         6          ×         5
```

```
    3 9 1 4              4 4 9 2              9 1 7 7
  ×         7          ×         6          ×         8
```

2157×6   3289×2   5402×7

1612×6   2836×5   3183×8

1 관계있는 것끼리 선으로 이으세요.

1036×4	6900
2133×3	6399
1150×6	4144

1321×7	9873
1914×5	9247
3291×3	9570

2 ☐ 안에 알맞은 수를 쓰세요.

$$
\begin{array}{r}
1\ 2\ 2\ \boxed{} \\
\times \qquad 3 \\
\hline
3\ \boxed{}\ 8\ 1
\end{array}
$$

$$
\begin{array}{r}
5\ 2\ 1\ 4 \\
\times \qquad \boxed{} \\
\hline
3\ 1\ \boxed{}\ 8\ 4
\end{array}
$$

$$
\begin{array}{r}
4\ 7\ 3\ \boxed{} \\
\times \qquad 2 \\
\hline
9\ \boxed{}\ 7\ 4
\end{array}
$$

$$
\begin{array}{r}
3\ 1\ \boxed{}\ 7 \\
\times \qquad \boxed{} \\
\hline
9\ 3\ 8\ 1
\end{array}
$$

$$
\begin{array}{r}
7\ \boxed{}\ 2\ 5 \\
\times \qquad \boxed{} \\
\hline
3\ 6\ 6\ 2\ 5
\end{array}
$$

$$
\begin{array}{r}
2\ \boxed{}\ \boxed{}\ 7 \\
\times \qquad 4 \\
\hline
8\ 7\ 8\ 8
\end{array}
$$

$$
\begin{array}{r}
5\ \boxed{}\ 7\ 2 \\
\times \qquad \boxed{} \\
\hline
1\ 1\ 7\ 4\ 4
\end{array}
$$

$$
\begin{array}{r}
5\ 5\ 2\ 8 \\
\times \qquad \boxed{} \\
\hline
4\ 4\ 2\ \boxed{}\ 4
\end{array}
$$

$$
\begin{array}{r}
3\ \boxed{}\ 5\ \boxed{} \\
\times \qquad 6 \\
\hline
2\ 1\ 9\ 1\ 2
\end{array}
$$

3 수 카드 **5**장을 한 번씩 사용하여 곱이 가장 클 때와 가장 작을 때의 곱셈식을 만들고 곱을 각각 구하세요.

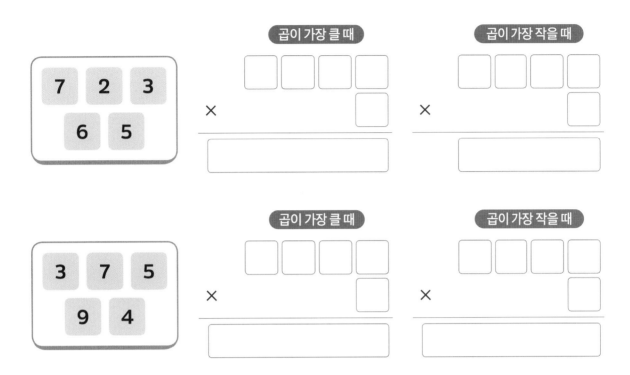

4 정호네 모둠 학생 **8**명이 식물원으로 체험 학습을 가기로 하였습니다. 식물원 입장료가 **1150**원이라면 내야 할 입장료는 모두 얼마일까요?

식 _____ 답 _____ 원

5 연희네 과수원에서는 배를 수확하여 한 상자에 **6**개씩 담아 포장하였습니다. 모두 **1586**상자를 포장했다면 배는 모두 몇 개일까요?

식 _____ 답 _____ 개

(세 자리 수)×(두 자리 수)

개념
원리

세 자리 수와 두 자리 수의 곱셈을 알아봅시다.

$$
\begin{array}{r}
1\ 3\ 6 \\
\times\ \ \ 2\ 1 \\
\hline
1\ 3\ 6 \\
2\ 7\ 2\ \ \ \\
\hline
2\ 8\ 5\ 6
\end{array}
$$

➡ $136 \times 1 + 136 \times \boxed{20}$

$= \boxed{136} + \boxed{2720}$

$= \boxed{2856}$

(세 자리 수)×(두 자리 수의 일의 자리 수)를 계산하고
(세 자리 수)×(두 자리 수의 십의 자리 수)를 계산한 다음 구한 값을 더합니다.

$$
\begin{array}{r}
4\ 6\ 3 \\
\times\ \ \ 2\ 7 \\
\hline
\boxed{} \\
\boxed{} \\
\hline
\boxed{}
\end{array}
$$

➡ $463 \times 7 + 463 \times \boxed{}$

$= \boxed{} + \boxed{}$

$= \boxed{}$

$$
\begin{array}{r}
8\ 2\ 9 \\
\times\ \ \ 5\ 3 \\
\hline
\boxed{} \\
\boxed{} \\
\hline
\boxed{}
\end{array}
$$

➡ $829 \times 3 + 829 \times \boxed{}$

$= \boxed{} + \boxed{}$

$= \boxed{}$

```
    5 3 9              7 2 9              8 0 8
  ×     2 0          ×     5 0          ×     7 0
```

```
    1 3 6              2 3 5              3 1 5
  ×     2 1          ×     1 5          ×     2 4
```

```
    2 0 5              3 4 6              1 7 8
  ×     7 3          ×     2 7          ×     5 7
```

150×30 370×60 246×70

139×50 450×24 310×72

1 곱셈을 하세요.

$38 \times 8 \ = \boxed{}$　　　　$25 \times 9 \ = \boxed{}$

$380 \times 8 \ = \boxed{}$　　　　$250 \times 9 \ = \boxed{}$

$380 \times 80 = \boxed{}$　　　　$250 \times 90 = \boxed{}$

2 곱셈을 하고 곱이 큰 것부터 차례대로 　 안에 1, 2, 3의 번호를 쓰세요.

$$\begin{array}{r} 2\ 3\ 7 \\ \times\ \ \ \ 4\ 3 \\ \hline \end{array}$$

$$\begin{array}{r} 2\ 3\ 6 \\ \times\ \ \ \ 4\ 5 \\ \hline \end{array}$$

$$\begin{array}{r} 2\ 3\ 5 \\ \times\ \ \ \ 4\ 6 \\ \hline \end{array}$$

3 ☐ 안에 알맞은 수를 쓰세요.

$$\begin{array}{r} 3\ \ 8\ \ \boxed{} \\ \times\ \ \ \boxed{}\ \ 3 \\ \hline 1\ \boxed{}\ 5\ 2 \\ 2\ 3\ 0\ 4\ \ \\ \hline 2\ 4\ \boxed{}\ \boxed{}\ 2 \end{array}$$

$$\begin{array}{r} 6\ \boxed{}\ \ 9 \\ \times\ \ \ \ 8\ \boxed{} \\ \hline 4\ 6\ 1\ 3 \\ 5\ \boxed{}\ 7\ 2\ \ \\ \hline \boxed{}\ 7\ \boxed{}\ 3\ 3 \end{array}$$

4 상자에서 빨간색 공 **3**개, 파란색 공 **2**개를 꺼내 (세 자리 수) × (두 자리 수)의 곱셈식을 만들려고 합니다. 곱이 가장 클 때와 가장 작을 때의 곱셈식을 만들고 곱을 각각 구하세요.

5 종호는 저금통에 **50**원짜리 동전 **148**개, **500**원짜리 동전 **76**개를 모았습니다.

50원짜리 동전은 모두 얼마일까요?

식 _____   답 _____ 원

500원짜리 동전은 모두 얼마일까요?

식 _____   답 _____ 원

모은 동전은 모두 얼마일까요?

식 _____   답 _____ 원

(네 자리 수)×(두 자리 수)

개념
원리

네 자리 수와 두 자리 수의 곱셈을 알아봅시다.

$$
\begin{array}{r}
3\ 4\ 6\ 1 \\
\times \qquad 2\ 3 \\
\hline
1\ 0\ 3\ 8\ 3 \\
6\ 9\ 2\ 2 \quad \\
\hline
7\ 9\ 6\ 0\ 3 \\
\end{array}
$$

➡ 3461 × 3 + 3461 × 20

= 10383 + 69220

= 79603

(네 자리 수)×(두 자리 수의 일의 자리 수)를 계산하고
(네 자리 수)×(두 자리 수의 십의 자리 수)를 계산한 다음 구한 값을 더합니다.

$$
\begin{array}{r}
2\ 8\ 7\ 5 \\
\times \qquad 3\ 4 \\
\hline
 \\
\hline
 \\
\hline
 \\
\end{array}
$$

➡ 2875 × 4 + 2875 × ☐

= ☐ + ☐

= ☐

$$
\begin{array}{r}
3\ 3\ 9\ 6 \\
\times \qquad 2\ 7 \\
\hline
 \\
\hline
 \\
\hline
 \\
\end{array}
$$

➡ 3396 × 7 + 3396 × ☐

= ☐ + ☐

= ☐

```
    1 0 3 0              2 8 4 0              1 0 0 5
  ×       6 0          ×       3 0          ×       4 0
  ───────────          ───────────          ───────────


    3 1 0 0              1 2 3 0              4 3 4 5
  ×       1 5          ×       5 8          ×       2 0
  ───────────          ───────────          ───────────


    2 0 2 2              1 7 2 1              3 2 0 5
  ×       3 3          ×       4 2          ×       2 8
  ───────────          ───────────          ───────────


    1 2 3 8              2 3 4 1              3 2 5 4
  ×       2 1          ×       1 5          ×       2 4
  ───────────          ───────────          ───────────
```

1 곱셈을 하세요.

$23 \times 4 = \boxed{}$

$230 \times 4 = \boxed{}$

$230 \times 40 = \boxed{}$

$2300 \times 40 = \boxed{}$

$16 \times 6 = \boxed{}$

$160 \times 6 = \boxed{}$

$160 \times 60 = \boxed{}$

$1600 \times 60 = \boxed{}$

2 곱셈을 하고 곱이 가장 큰 곱셈식에 ○표, 곱이 가장 작은 곱셈식에 △표 하세요.

3724×4	2546×6	4387×3

3 ☐ 안에 알맞은 수를 쓰세요.

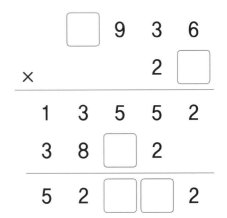

4 수 카드를 왼쪽에서 4장, 오른쪽에서 2장을 뽑아 (네 자리 수) × (두 자리 수)의 곱셈식을 만들려고 합니다. 곱이 가장 작은 곱셈식을 만들고 곱을 구하세요.

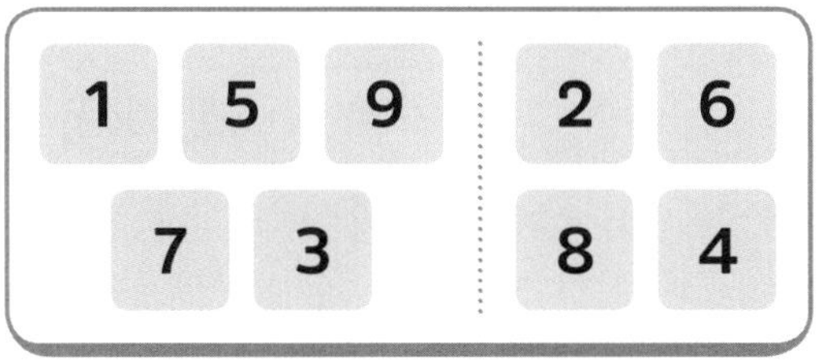

| 1 | 5 | 9 | 2 | 6 |
| | 7 | 3 | 8 | 4 |

$$\begin{array}{c}\square\square\square\square\\ \times\quad\square\square\\ \hline \square\square\square\square\square\end{array}$$

5 규민이의 전집은 2368쪽짜리 책 34권으로 이루어져 있습니다. 전집은 모두 몇 쪽일까요?

식 _____ 답 _____ 쪽

6 티셔츠를 만드는 공장이 있습니다.

티셔츠 1장을 만드는 비용이 3480원일 때 티셔츠 25장을 만드는 비용은 모두 얼마일까요?

식 _____ 답 _____ 원

티셔츠 1장을 팔면 이익이 1250원일 때 티셔츠 75장을 팔면 이익은 모두 얼마일까요?

식 _____ 답 _____ 원

세 수의 곱셈

개념
원리

세수의 곱셈을 알아봅시다.

$42 \times 5 \times 34 = \boxed{7140}$

$\boxed{210}$

$\boxed{7140}$

➡

```
      4 2
  ×     5
 ┌─────────┐
 │ 2 1 0 │ ⋯ 42×5
 └─────────┘
  ×   3 4
 ┌─────────┐
 │7 1 4 0│
 └─────────┘
```

세 수의 곱셈은 먼저 두 수를 곱하고 그 곱에 나머지 수를 곱합니다.

$53 \times 4 \times 50 = \boxed{10600}$

$\boxed{200}$

$\boxed{10600}$

➡

```
        5 3
  ×  ┌───────┐
     │2 0 0│ ⋯ 4×50
     └───────┘
 ┌───────────┐
 │1 0 6 0 0│
 └───────────┘
```

먼저 뒤의 두 수를 곱하고 그 곱에 처음의 수를 곱하는 것이 편리할 때도 있습니다.

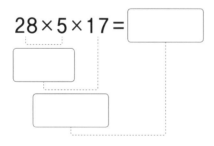

➡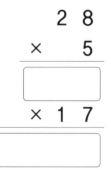

```
      2 8
  ×     5
 ┌─────────┐
 │         │
 └─────────┘
  ×   1 7
 ┌─────────┐
 │         │
 └─────────┘
```

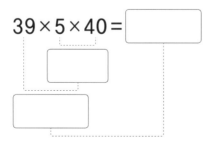

➡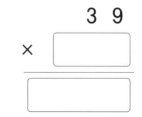

```
      3 9
  × ┌─────┐
    │     │
    └─────┘
 ┌─────────┐
 │         │
 └─────────┘
```

$33 \times 4 \times 25$

$48 \times 5 \times 8$

$3 \times 402 \times 9$

$4 \times 35 \times 62$

$3 \times 60 \times 8$

$20 \times 5 \times 19$

$7 \times 5 \times 63$

$40 \times 28 \times 6$

$5 \times 7 \times 70$

$8 \times 234 \times 4$

1 빈칸에 알맞은 수를 쓰세요.

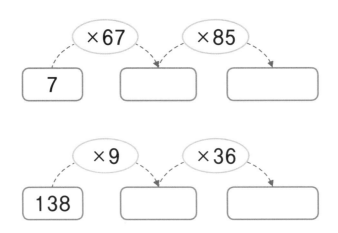

2 다음과 같이 세 수의 곱셈으로 고쳐 간단히 계산하세요.

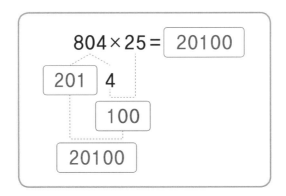

$484 \times 25 =$

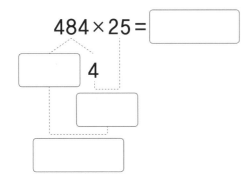

$125 \times 24 =$

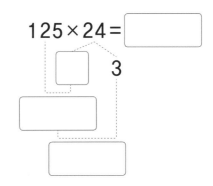

3 계산 결과에 맞게 길을 그리세요.

85 ×4 ×10 = 5100
   ×3 ×15

247 ×4 ×7 = 7410
    ×5 ×6

77 ×50 ×5 = 7700
   ×20 ×4

308 ×4 ×8 = 8624
    ×3 ×7

4 정희네 모둠 학생 6명이 각자 동화책을 하루에 25쪽씩 12일 동안 읽었습니다. 정희네 모둠이 읽은 동화책은 모두 몇 쪽일까요?

식 _____   답 _____ 쪽

5 어느 인형 공장에서 직원 1명이 인형을 1개 만드는 데 1시간이 걸린다고 합니다. 직원 240명이 하루에 8시간씩 일주일 동안 일을 하면 모두 몇 개의 인형을 만들 수 있을까요?

식 _____   답 _____ 개

1 관계있는 것끼리 선으로 이으세요.

1079×8	9352		1175×4	4695
1537×6	8632		1565×3	4700
1336×7	9222		1028×5	5140

2 수 카드 5장을 한 번씩 사용하여 곱이 가장 클 때와 가장 작을 때의 곱셈식을 만들고 곱을 각각 구하세요.

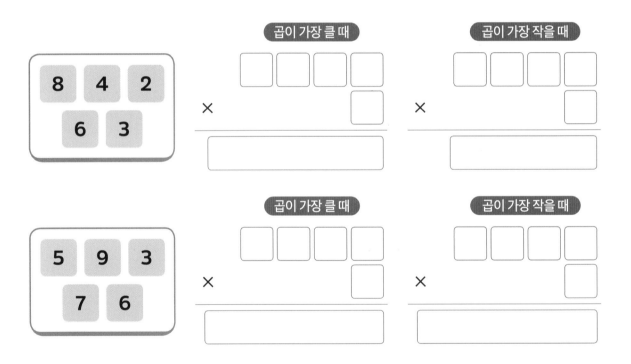

3 민영이네 반 학생 42명이 한 권에 675원인 공책을 1권씩 구매하였을 때 공책의 값은 모두 얼마일까요?

식 _____ 답 _____ 원

4 곱셈을 하세요.

```
    2 7 6              4 8 2              5 3 8
  ×   8 0            ×   3 0            ×   5 0
```

```
    1 5 4              3 1 9              2 6 3
  ×   1 9            ×   2 1            ×   5 6
```

```
    3 7 2              2 3 3              6 1 7
  ×   6 8            ×   4 3            ×   2 8
```

5 ☐ 안에 알맞은 수를 쓰세요.

```
    ☐ 2 5 8                  1 ☐ 9 7
  ×     ☐ ☐                ×     3 ☐
    3 8 3 2 2              1 0 3 7 6
    4 ☐ 5 8                3 ☐ 9 1
    8 ☐ ☐ 0 2              4 9 ☐ ☐ 6
```

6 원지네 과수원에서는 귤을 수확하여 한 상자에 **24**개씩 담아 포장하였습니다. 포장한 상자가 **2753** 개일 때 귤은 모두 몇 개일까요?

식 _____   답 _____ 개

7 빈칸에 알맞은 수를 쓰세요.

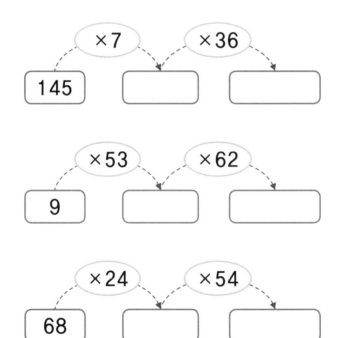

8 유민이네 농장에는 암탉이 **57**마리 있습니다. 암탉 한 마리가 일주일에 달걀을 **7**개씩 낳을 때 **24**주 동안 낳은 달걀은 모두 몇 개일까요?

식 _____   답 _____ 개

(세 자리 수)÷(한 자리 수) (1)

개념
원리

나눗셈을 알아봅시다.

$$396 \div 3 = \boxed{1}\ \boxed{3}\ \boxed{2}$$

100 | 100 | 100
10 10 10 | 10 10 10 | 10 10 10
1 1 | 1 1 | 1 1

$$\begin{array}{r} \boxed{1}\ \boxed{3}\ \boxed{2} \\ 3\overline{)\ 3\ \ 9\ \ 6} \end{array}$$

백의 자리 수 3을 3으로 나눈 몫 1을 백의 자리,
십의 자리 수 9를 3으로 나눈 몫 3을 십의 자리,
일의 자리 수 6을 3으로 나눈 몫 2를 일의 자리에 씁니다.

$$248 \div 2 = \boxed{\ }\ \boxed{\ }\ \boxed{\ }$$

$$\begin{array}{r} \boxed{\ }\ \boxed{\ }\ \boxed{\ } \\ 2\overline{)\ 2\ \ 4\ \ 8} \end{array}$$

$$682 \div 2 = \boxed{\ }\ \boxed{\ }\ \boxed{\ }$$

$$\begin{array}{r} \boxed{\ }\ \boxed{\ }\ \boxed{\ } \\ 2\overline{)\ 6\ \ 8\ \ 2} \end{array}$$

$$690 \div 3 = \boxed{\ }\ \boxed{\ }\ \boxed{\ }$$

$$\begin{array}{r} \boxed{\ }\ \boxed{\ }\ \boxed{\ } \\ 3\overline{)\ 6\ \ 9\ \ 0} \end{array}$$

$$848 \div 4 = \boxed{\ }\ \boxed{\ }\ \boxed{\ }$$

$$\begin{array}{r} \boxed{\ }\ \boxed{\ }\ \boxed{\ } \\ 4\overline{)\ 8\ \ 4\ \ 8} \end{array}$$

$$555 \div 5 = \boxed{\ }\ \boxed{\ }\ \boxed{\ }$$

$$\begin{array}{r} \boxed{\ }\ \boxed{\ }\ \boxed{\ } \\ 5\overline{)\ 5\ \ 5\ \ 5} \end{array}$$

$$707 \div 7 = \boxed{\ }\ \boxed{\ }\ \boxed{\ }$$

$$\begin{array}{r} \boxed{\ }\ \boxed{\ }\ \boxed{\ } \\ 7\overline{)\ 7\ \ 0\ \ 7} \end{array}$$

840÷2   268÷2   462÷2

990÷3   399÷3   606÷3

488÷4   550÷5   666÷6

3)369   2)624   4)844

2)220   5)505   3)999

7)777   2)486   9)999

1 나눗셈을 하세요.

$$36 \div 3 = \boxed{} \quad \Rightarrow \quad 360 \div 3 = \boxed{}$$

$$64 \div 2 = \boxed{} \quad \Rightarrow \quad 640 \div 2 = \boxed{}$$

$$88 \div 4 = \boxed{} \quad \Rightarrow \quad 880 \div 4 = \boxed{}$$

2 몫의 크기를 비교하여 ◯ 안에 >, =, <를 알맞게 쓰세요.

$$422 \div 2 \bigcirc 630 \div 3 \qquad\qquad 264 \div 2 \bigcirc 396 \div 3$$

$$639 \div 3 \bigcirc 880 \div 4 \qquad\qquad 804 \div 4 \bigcirc 505 \div 5$$

3 수 카드를 한 장씩 사용하여 가장 큰 세 자리 수를 만들고, 나머지 카드로 나눈 몫을 구하세요.

| 6 | 4 | 2 | 8 |

4 나눗셈을 하고 곱셈식의 ☐ 안에 알맞은 수를 쓰세요.

$$284 \div 2 = \boxed{} \ \Rightarrow \ \boxed{} \times 2 = 284$$

$$936 \div 3 = \boxed{} \ \Rightarrow \ \boxed{} \times 3 = 936$$

$$884 \div 4 = \boxed{} \ \Rightarrow \ \boxed{} \times 4 = 884$$

5 ☐ 안에 알맞은 수를 쓰세요.

$$848 \div \boxed{} = 424 \div 2$$

6 색종이 505장을 한 명에게 5장씩 나누어 주려고 합니다. 색종이를 몇 명에게 나누어 줄 수 있을까요?

식 　　　　　　　　　　　　　　답 　　　　　　 명

7 소희네 학교는 한 반에 20명씩 42개 반입니다. 전체 학생을 4명씩 모둠을 만들어 각 모둠에 배구공을 1개씩 나누어 준다면 배구공은 몇 개가 필요할까요?

개

(세 자리 수)÷(한 자리 수) (2)

개념
원리

나머지가 없는 세 자리 수와 한 자리 수의 나눗셈을 알아봅시다.

```
       1 8 6  ← 몫
   3 ) 5 5 8
       3        ← 3×1
       2 5
       2 4      ← 3×8
         1 8
         1 8    ← 3×6
           0
```

```
        4 5   ← 몫
   3 ) 1 3 5
       1 2     ← 3×4
         1 5
         1 5   ← 3×5
           0
```

백의 자리에서 나눌 수 없으므로 십의 자리에서 13을 3으로
나누고 남은 1과 일의 자리 5를 합쳐 15를 3으로 나눕니다.
나머지가 0일 때 나누어떨어진다고 합니다.

```
   □ □ □
 5 ) 7 3 5
     □
     □ □
     □ □
       □ □
       □ □
         0
```

```
   □ □
 9 ) 2 5 2
     □ □
     □ □
       0
```

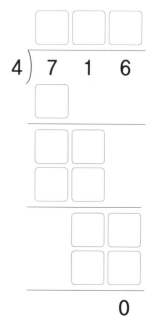
```
   □ □ □
 4 ) 7 1 6
     □
     □ □
     □ □
       □ □
       □ □
         0
```

485÷5

$5 \overline{)485}$

264÷3

$3 \overline{)264}$

595÷7

$7 \overline{)595}$

252÷6

$6 \overline{)252}$

657÷9

$9 \overline{)657}$

448÷8

$8 \overline{)448}$

188÷4

$4 \overline{)188}$

192÷3

$3 \overline{)192}$

190÷5

$5 \overline{)190}$

1 빈칸에 알맞은 수를 쓰세요.

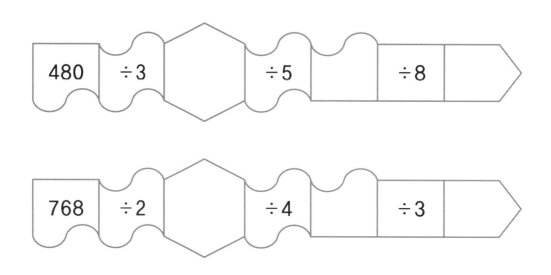

480 ÷3   ÷5   ÷8

768 ÷2   ÷4   ÷3

2 ☐ 안에 알맞은 수를 쓰세요.

```
      ☐ ☐ ☐
3 ) 5 ☐ 2
    ☐
   ☐ ☐
   ☐ 1
    1 2
    1 2
      0
```

```
      ☐ ☐ ☐
7 ) ☐ ☐ 5
    7
   2 ☐
   ☐ 1
    3 5
   ☐ ☐
      0
```

```
      ☐ ☐ ☐
4 ) 7 ☐ 4
    ☐
   ☐ ☐
   ☐ 2
   ☐ ☐
    2 4
      0
```

3 몫이 두 자리 수인 나눗셈에 ◯표, 몫이 세 자리 수인 나눗셈에 △표 하세요.

$291 \div 3$	$624 \div 8$	$924 \div 6$
$833 \div 7$	$412 \div 4$	$375 \div 5$

4 지연이는 273쪽인 위인전을 일주일 동안 모두 읽으려고 합니다. 매일 같은 쪽씩 읽는다고 할 때 하루에 몇 쪽씩 읽어야 할까요?

식 _____ 답 _____ 쪽

5 동현이네 마을에서는 식목일에 나무를 648그루 심었습니다.

8명이 나무를 심었다면 한 사람이 몇 그루씩 심었을까요?

식 _____ 답 _____ 그루

한 줄에 9그루씩 심었다면 나무는 모두 몇 줄 심었을까요?

식 _____ 답 _____ 줄

나머지가 있는 (세 자리 수)÷(한 자리 수)

개념
원리

나머지가 있는 세 자리 수와 한 자리 수의 나눗셈을 알아봅시다.

```
        1  6  9  ← 몫
   4 ) 6  7  8
        4           ← 4 × 1
      ─────
        2  7
        2  4        ← 4 × 6
      ─────
           3  8
           3  6     ← 4 × 9
         ─────
              2     ← 나머지
```

```
           7  4  ← 몫
   8 ) 5  9  4
        5  6        ← 8 × 7
      ─────
           3  4
           3  2     ← 8 × 4
         ─────
              2     ← 나머지
```

나머지는 나누는 수보다 작습니다.

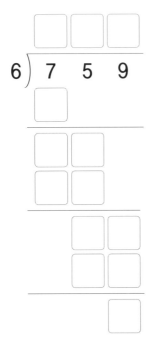

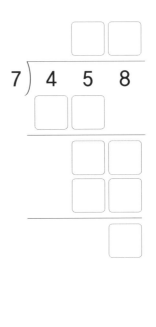

697÷4

$$4 \overline{\smash{)}\ 6\ 9\ 7}$$

290÷3

$$3 \overline{\smash{)}\ 2\ 9\ 0}$$

532÷6

$$6 \overline{\smash{)}\ 5\ 3\ 2}$$

857÷5

$$5 \overline{\smash{)}\ 8\ 5\ 7}$$

624÷7

$$7 \overline{\smash{)}\ 6\ 2\ 4}$$

935÷2

$$2 \overline{\smash{)}\ 9\ 3\ 5}$$

783÷4

$$4 \overline{\smash{)}\ 7\ 8\ 3}$$

845÷3

$$3 \overline{\smash{)}\ 8\ 4\ 5}$$

479÷8

$$8 \overline{\smash{)}\ 4\ 7\ 9}$$

1 ● 안의 수를 ◠ 안의 수로 나누어 빈 곳에 몫과 나머지를 쓰세요.

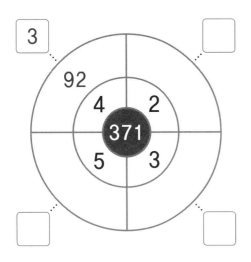

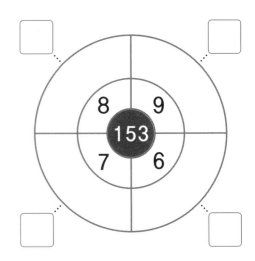

2 ☐ 안에 알맞은 수를 쓰세요.

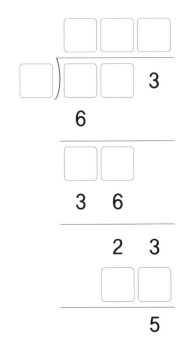

3 다음 (세 자리 수)÷(한 자리 수)의 나눗셈의 몫이 두 자리 수일 때, ☐ 안에 들어갈 수 있는 수를 모두 쓰세요.

$$5 \overline{)\ \square\ 7\ 4}$$

_____

4 어떤 세 자리 수를 8로 나누었을 때 나올 수 있는 나머지 중에서 가장 큰 수는 얼마일까요?

_____

5 문구점에서 공책 642권을 봉투 1개에 7권씩 넣고 있습니다. 공책을 넣은 봉투는 최대 몇 개가 되고, 공책은 몇 권이 남을까요?

_____ 개가 되고 _____ 권이 남습니다.

6 어느 제과점에서는 쿠키 128개를 한 상자에 9개씩 담아 판매합니다. 판매할 수 있는 쿠키는 최대 몇 개일까요?

_____ 개

나눗셈의 검산

나눗셈을 하고 바르게 계산했는지 검산해 봅시다.

```
      1 1 4
  4 ) 4 5 9
      4
      ─────
        5
        4
      ─────
        1 9
        1 6
      ─────
          3
```

$459 \div 4 =$ 114 ⋯ 3

검산 $4 \times$ 114 $+$ 3 $=$ 459

●÷■=◆⋯★의 검산식은 ■×◆+★=●입니다.

```
  5 ) 6 6 8
```

```
  9 ) 7 1 0
```

$668 \div 5 =$ ☐ ⋯ ☐

검산 $5 \times$ ☐ $+$ ☐ $=$ ☐

$710 \div 9 =$ ☐ ⋯ ☐

검산 $9 \times$ ☐ $+$ ☐ $=$ ☐

$$8 \overline{)766}$$

나눗셈을 하고
검산을 하세요.

검산 _____

$$7 \overline{)867}$$

검산 _____

$$4 \overline{)954}$$

검산 _____

$$8 \overline{)700}$$

검산 _____

$$2 \overline{)995}$$

검산 _____

1 관계있는 것끼리 선으로 이으세요.

689÷5		4×234+3
707÷6		5×137+4
939÷4		6×117+5

2 검산식을 이용하여 ☐ 안에 알맞은 수를 쓰세요.

951 ÷7=135…6 ➡ 검산 7×135+6=951

☐ ÷3=285…2 ➡ 검산 _____

☐ ÷8=57…4 ➡ 검산 _____

3 검산하여 계산이 맞으면 ◯표, 틀리면 ✕표 하세요.

905÷7=129…6 ⋯⋯ ◯

766÷8=95…6 ⋯⋯ ◯

749÷3=249…2 ⋯⋯ ◯

873÷5=175…3 ⋯⋯ ◯

4 검산식을 보고 나눗셈식과 몫, 나머지를 구하세요. (단, 나누는 수는 한 자리 수입니다.)

검산 $8 \times 96 + 7 = 775$

나눗셈식: _____

몫: _____ , 나머지: _____

5 어떤 수를 6으로 나누면 몫은 73이고 나머지는 5입니다. ☐를 사용한 식을 쓰고 검산식을 이용하여 어떤 수를 구하세요.

식 _____ ➡ 검산 _____

_____

6 147에 어떤 수를 곱해야 하는데 잘못하여 나누었더니 몫이 73이고 나머지가 1 이었습니다. 바르게 계산하면 얼마일까요?

잘못된 식: 식 _____   어떤 수: _____

바르게 계산하기: 식 _____   답 _____

형성평가

1 나눗셈을 하세요.

808÷8   777÷7   936÷3

804÷4   550÷5   628÷2

$$4\overline{)3\ 3\ 6} \qquad 5\overline{)3\ 4\ 0} \qquad 7\overline{)5\ 3\ 9}$$

$$6\overline{)3\ 1\ 8} \qquad 9\overline{)7\ 8\ 3} \qquad 8\overline{)4\ 9\ 6}$$

2 ☐ 안에 알맞은 수를 쓰세요.

$$648÷\boxed{}=216÷3$$

3 예원이는 사탕 **406**개를 포장하려고 합니다. 한 봉지에 **7**개씩 담을 때 최대 몇 봉지가 나올까요?

식 _____   답 _____ 봉지

4 ☐ 안에 알맞은 수를 쓰세요.

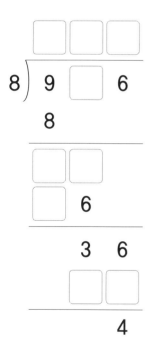 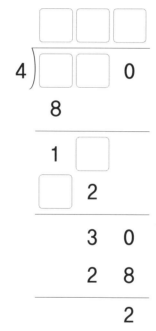 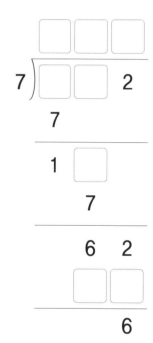

5 과자 공장에서 과자를 **909**개 생산했습니다. 한 상자에 **7**개씩 최대한 많은 상자에 담고 남는 과자는 모두 몇 개일까요?

식 _____   답 _____ 개

6 나눗셈을 하고 검산을 하세요.

$$6 \overline{)807}$$

$$3 \overline{)884}$$

검산 _____

검산 _____

7 검산식을 보고 나눗셈식과 몫, 나머지를 구하세요. (단, 나누는 수는 한 자리 수입니다.)

검산 $6 \times 103 + 1 = 619$

나눗셈식: _____

몫: _____ , 나머지: _____

8 895에 어떤 수를 곱해야 하는데 잘못하여 나누었더니 몫이 127이고 나머지가 6입니다. 바르게 계산하면 얼마일까요?

잘못된 식: 식 _____

어떤 수: _____

바르게 계산하기: 식 _____

답 _____

상위권으로 가는 문제 해결 연산 학습지

정답

응용
연산

C3
초3 ~ 초4

곱셈과 나눗셈

Creative to Math

씨투엠

C3 곱셈과 나눗셈
초3 ~ 초4

정답 및 길잡이

두·세 자리 수와 한 자리 수의 곱셈

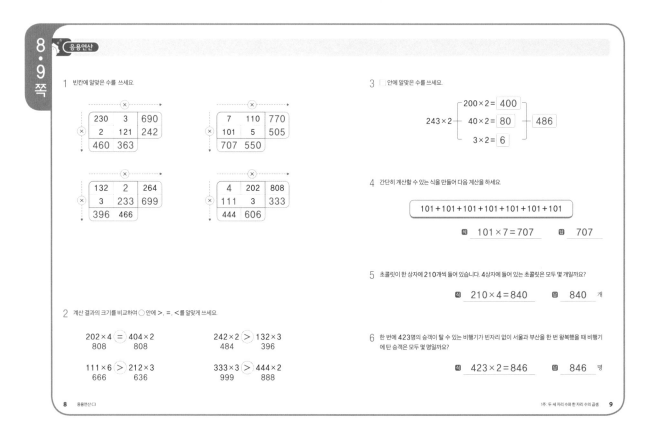

6·7쪽

1일 C 289 (세 자리 수)×(한 자리 수) (1)

올림이 없는 세 자리 수와 한 자리 수의 곱셈을 알아봅시다.

```
  1 2 3          1 2 3
×     3    ➡    ×     3
    9    ← 3×3   3 6 9
  6 0    ← 20×3
3 0 0    ← 100×3    3과 3을 곱하여 일의 자리에,
3 6 9    ← 9+60+300  2와 3을 곱하여 십의 자리에,
                     1과 3을 곱하여 백의 자리에 씁니다.
```

```
  3 2 1          2 3 3          4 1 3
×     2    ×     3    ×     2
    2  ← 1×2      9  ← 3×3      6  ← 3×2
  4 0  ← 20×2    9 0  ← 30×3    2 0  ← 10×2
6 0 0  ← 300×2  6 0 0  ← 200×3  8 0 0  ← 400×2
6 4 2  ← 2+40+600  6 9 9 ← 9+90+600  8 2 6 ← 6+20+800
    ⬇            ⬇            ⬇
  3 2 1          2 3 3          4 1 3
×     2    ×     3    ×     2
6 4 2          6 9 9          8 2 6
```

```
  1 1 1        2 1 2        3 2 3
×     9    ×     4    ×     3
9 9 9        8 4 8        9 6 9

  3 2 2        2 2 1        1 0 1
×     3    ×     4    ×     5
9 6 6        8 8 4        5 0 5

  4 0 3        1 2 1        1 3 0
×     2    ×     4    ×     3
8 0 6        4 8 4        3 9 0
```

203×3=609   303×3=909   110×8=880

132×2=264   423×2=846   312×3=936

231×2=462   321×3=963   421×2=842

8·9쪽 응용연산

1 빈칸에 알맞은 수를 쓰세요.

×	230	3	690
2	121	242	
460	363		

×	7	110	770
101	5	505	
707	550		

×	132	2	264
3	233	699	
396	466		

×	4	202	808
111	3	333	
444	606		

2 계산 결과의 크기를 비교하여 ○ 안에 >, =, <를 알맞게 쓰세요.

202×4 ⊜ 404×2
 808   808

242×2 > 132×3
 484   396

111×6 > 212×3
 666   636

333×3 > 444×2
 999   888

3 안에 알맞은 수를 쓰세요.

```
        200×2 = 400
243×2   40×2 = 80    486
        3×2 = 6
```

4 간단히 계산할 수 있는 식을 만들어 다음 계산을 하세요.

101+101+101+101+101+101+101

답 101×7=707   답 707

5 초콜릿이 한 상자에 210개씩 들어 있습니다. 4상자에 들어 있는 초콜릿은 모두 몇 개일까요?

답 210×4=840   답 840 개

6 한 번에 423명의 승객이 탈 수 있는 비행기가 빈자리 없이 서울과 부산을 한 번 왕복했을 때 비행기에 탄 승객은 모두 몇 명일까요?

답 423×2=846   답 846 명

2일 290 (세 자리 수)×(한 자리 수) (2)

올림이 있는 세 자리 수와 한 자리 수의 곱셈을 알아봅시다.

```
      7 3 6
    ×     4
      2 4      6 × 4
    1 2 0      30 × 4
  2 8 0 0      700 × 4
  2 9 4 4      24 + 120 + 2800
```

```
     1 2
    7 3 6
  ×     4
  2 9 4 4
```

일의 자리를 계산한 결과로 나온 24를 십의 자리로, 십의 자리를 계산한 결과로 나온 14를 백의 자리로 올림해 줍니다.

```
      2 1 7
    ×     5
      3 5      7 × 5
      5 0      10 × 5
  1 0 0 0      200 × 5
  1 0 8 5      35 + 50 + 1000
         ↓
      3
    2 1 7
  ×     5
  1 0 8 5
```

```
      1 9 2
    ×     3
        6      2 × 3
    2 7 0      90 × 3
    3 0 0      100 × 3
    5 7 6      6 + 270 + 300
         ↓
      2
    1 9 2
  ×     3
    5 7 6
```

```
    1 3 9          5 0 8          6 2 9
  ×     2        ×     7        ×     3
    2 7 8        3 5 5 6        1 8 8 7
```

```
    6 5 1          2 9 2          8 9 0
  ×     5        ×     4        ×     8
    3 2 5 5        1 1 6 8        7 1 2 0
```

```
    4 0 7          1 2 5          4 8 0
  ×     2        ×     4        ×     3
      8 1 4          5 0 0        1 4 4 0
```

$309 × 3 = 927$ $217 × 3 = 651$ $912 × 8 = 7296$

$320 × 6 = 1920$ $571 × 6 = 3426$ $642 × 3 = 1926$

응용연산

1 관계있는 것끼리 선으로 이으세요.

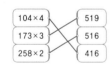

$104 × 4$ — 416
$173 × 3$ — 519
$258 × 2$ — 516

$342 × 6$ — 2052
$418 × 5$ — 2090
$592 × 4$ — 2368

3 색칠된 부분은 실제로 어떤 수의 곱인지 찾아 ○표 하세요.

```
    2 7 8
  ×     9
      7 2
    6 3 0
  1 8 0 0
```

$8 × 9$ $7 × 9$ $78 × 9$
（70 × 9） $200 × 9$ $700 × 9$

2 □안에 알맞은 수를 쓰세요.

```
    1 2 [7]        2 1 4          7 3 2
  ×     3        ×     [6]        ×     2
    3 8 1        1 2 8 4        1 4 6 4
```

```
    1 [5] 3        3 2 5          1 [9] 7
  ×     7        ×     [5]        ×     4
  1 0 7 1        1 6 2 5          7 8 8
```

```
    [8] 7 2        5 2 8          [6] 5 2
  ×     2        ×     [8]        ×     6
  1 7 4 4        4 2 2 4        3 9 1 2
```

4 간단히 계산할 수 있는 식을 만들어 다음 계산을 하세요.

$$137 + 137 + 137 + 137 + 137 + 137 + 137 + 137 + 137$$

식 $137 × 9 = 1233$ 답 1233

5 1년은 365일입니다. 3년은 모두 며칠일까요?

식 $365 × 3 = 1095$ 답 1095 일

6 매일 217대의 버스가 출발하는 버스 터미널에서 일주일 동안 출발하는 버스는 모두 몇 대일까요?

식 $217 × 7 = 1519$ 답 1519 대

14·15쪽

3일 291 C (한 자리 수)×(두 자리 수)

개념
원리

한 자리 수와 두 자리 수의 곱셈을 알아봅시다.

$$\begin{array}{r} 3 \\ \times\ 4\ 6 \\ \hline 1\ 8 \\ 1\ 2\ 0 \\ \hline 1\ 3\ 8 \end{array}$$

- 18 ← 3×6
- 120 ← 3×40
- 138 ← 18+120

⟶

$$\begin{array}{r} \boxed{1}\ \\ 3 \\ \times\ 4\ 6 \\ \hline 1\ 3\ 8 \end{array}$$

일의 자리를 계산한 결과로 나온
18을 십의 자리로 올림해 줍니다.

$$\begin{array}{r} 5 \\ \times\ 9\ 3 \\ \hline 1\ 5 \\ 4\ 5\ 0 \\ \hline 4\ 6\ 5 \end{array}\qquad \begin{array}{r} 7 \\ \times\ 3\ 7 \\ \hline 4\ 9 \\ 2\ 1\ 0 \\ \hline 2\ 5\ 9 \end{array}\qquad \begin{array}{r} 8 \\ \times\ 6\ 4 \\ \hline 3\ 2 \\ 4\ 8\ 0 \\ \hline 5\ 1\ 2 \end{array}$$

↓ 1 ↓ 4 ↓ 3

$$\begin{array}{r} \boxed{1} \\ 5 \\ \times\ 9\ 3 \\ \hline 4\ 6\ 5 \end{array}\qquad \begin{array}{r} \boxed{4} \\ 7 \\ \times\ 3\ 7 \\ \hline 2\ 5\ 9 \end{array}\qquad \begin{array}{r} \boxed{3} \\ 8 \\ \times\ 6\ 4 \\ \hline 5\ 1\ 2 \end{array}$$

$$\begin{array}{r} 2 \\ \times\ 3\ 7 \\ \hline 7\ 4 \end{array}\qquad \begin{array}{r} 5 \\ \times\ 1\ 9 \\ \hline 9\ 5 \end{array}\qquad \begin{array}{r} 3 \\ \times\ 2\ 8 \\ \hline 8\ 4 \end{array}$$

$$\begin{array}{r} 5 \\ \times\ 4\ 2 \\ \hline 2\ 1\ 0 \end{array}\qquad \begin{array}{r} 4 \\ \times\ 4\ 6 \\ \hline 1\ 8\ 4 \end{array}\qquad \begin{array}{r} 6 \\ \times\ 7\ 3 \\ \hline 4\ 3\ 8 \end{array}$$

$$\begin{array}{r} 8 \\ \times\ 1\ 9 \\ \hline 1\ 5\ 2 \end{array}\qquad \begin{array}{r} 9 \\ \times\ 5\ 5 \\ \hline 4\ 9\ 5 \end{array}\qquad \begin{array}{r} 7 \\ \times\ 6\ 8 \\ \hline 4\ 7\ 6 \end{array}$$

$6\times16=96$ $5\times16=80$ $2\times98=196$

$7\times28=196$ $4\times28=112$ $6\times49=294$

$9\times59=531$ $8\times59=472$ $7\times87=609$

16·17쪽

응용연산

1 ☐안에 알맞은 수를 쓰세요.

$$\begin{array}{r} \boxed{5} \\ \times\ 4\ \boxed{7} \\ \hline 3\ 5 \\ 2\ \boxed{0} \\ \hline 2\ 3\ 5 \end{array}\qquad \begin{array}{r} \boxed{8} \\ \times\ 2\ \boxed{3} \\ \hline 2\ 4 \\ 1\ 6 \\ \hline 1\ 8\ 4 \end{array}\qquad \begin{array}{r} \boxed{8} \\ \times\ 7\ \boxed{3} \\ \hline 2\ \boxed{4} \\ 5\ 6 \\ \hline 5\ \boxed{8}\ 4 \end{array}$$

2 ☐안에 들어갈 수 있는 수에 모두 ○표 하세요.

$4\times28 > \square\times27$

②③④ 5 6

$6\times17 > \square\times14$

②③④⑤⑥

$\square\times35 > 8\times24$

3 4 5 ⑥⑦

$\square\times38 > 5\times28$

3 ④⑤⑥⑦

3 주어진 수 카드를 한 번씩만 사용하여 계산 결과가 더 큰 곱셈식을 만들고 곱을 구하세요.

$$\begin{array}{r} \boxed{7} \\ \times\ 3\ \boxed{4} \\ \hline 2\ 3\ 8 \end{array}$$

$$\boxed{3}\ \boxed{8}\qquad \begin{array}{r} \boxed{8} \\ \times\ 6\ \boxed{3} \\ \hline 5\ 0\ 4 \end{array}\qquad \boxed{5}\ \boxed{6}\qquad \begin{array}{r} \boxed{6} \\ \times\ 5\ \boxed{3} \\ \hline 3\ 1\ 8 \end{array}$$

4 민지는 동화책을 하루에 8쪽씩 24일 동안 읽었습니다. 민지가 읽은 동화책은 모두 몇 쪽인지 두 가지 식을 만들어 구하세요.

식
$$\begin{array}{r} \boxed{3} \\ 8 \\ \times\ \boxed{2}\ \boxed{4} \\ \hline 1\ 9\ 2 \end{array}\qquad \begin{array}{r} \boxed{3} \\ \boxed{2}\ \boxed{4} \\ \times\ \boxed{8} \\ \hline 1\ 9\ 2 \end{array}$$

답 __192__ 쪽

5 운동장에 학생들이 한 줄에 7명씩 29줄로 서 있습니다. 줄을 선 학생들은 모두 몇 명일까요?

식 __7×29=203__   답 __203__ 명

(두 자리 수)×(몇십)

몇십과 몇십, 두 자리 수와 몇십의 곱을 알아봅시다.

$40 \times 90 = \boxed{36}\,00$

$4 \times 9 = 36$
(몇)×(몇)을 계산하고
뒤에 0을 두 개 붙여 줍니다.

$26 \times 70 = \boxed{182}\,0$

$26 \times 7 = 182$
(두 자리 수)×(몇)을 계산하고
뒤에 0을 한 개 붙여 줍니다.

$30 \times 80 = \boxed{24}\,00$　　　　$45 \times 20 = \boxed{90}\,0$

$60 \times 70 = \boxed{42}\,00$　　　　$85 \times 30 = \boxed{255}\,0$

$90 \times 90 = \boxed{81}\,00$　　　　$38 \times 60 = \boxed{228}\,0$

$40 \times 70 = \boxed{28}\,00$　　　　$76 \times 40 = \boxed{304}\,0$

$30 \times 80 = 2400$　　$50 \times 90 = 4500$　　$80 \times 70 = 5600$

$20 \times 39 = 780$　　$50 \times 66 = 3300$　　$70 \times 98 = 6860$

$$\begin{array}{r}40\\ \times\ 20\\ \hline 800\end{array}\qquad \begin{array}{r}60\\ \times\ 70\\ \hline 4200\end{array}\qquad \begin{array}{r}90\\ \times\ 60\\ \hline 5400\end{array}$$

$$\begin{array}{r}43\\ \times\ 50\\ \hline 2150\end{array}\qquad \begin{array}{r}73\\ \times\ 60\\ \hline 4380\end{array}\qquad \begin{array}{r}98\\ \times\ 80\\ \hline 7840\end{array}$$

$$\begin{array}{r}30\\ \times\ 19\\ \hline 570\end{array}\qquad \begin{array}{r}80\\ \times\ 55\\ \hline 4400\end{array}\qquad \begin{array}{r}90\\ \times\ 68\\ \hline 6120\end{array}$$

응용연산

1 빈칸에 알맞은 수를 쓰세요.

×		
30	70	2100
15	80	1200
450	5600	

×		
16	60	960
20	50	1000
320	3000	

×		
50	60	3000
40	12	480
2000	720	

×		
15	60	900
20	90	1800
300	5400	

2 ☐ 안에 알맞은 수를 쓰세요.

$\boxed{30} \times 20 = 600$　　$80 \times \boxed{30} = 2400$　　$\boxed{90} \times 60 = 5400$

$\boxed{60} \times 12 = 720$　　$13 \times \boxed{30} = 390$　　$\boxed{31} \times 50 = 1550$

3 ☐ 안에 들어갈 수 있는 수 중에서 가장 작은 수를 구하세요.

$47 \times \boxed{}0 > 1500$　　　4

4 ☐ 안에 들어갈 수 있는 수 중에서 가장 큰 수를 구하세요.

$\boxed{}0 \times 35 < 2500$　　　7

5 재현이는 50원짜리 동전 70개를 모았습니다. 재현이가 모은 50원짜리 동전은 모두 얼마일까요?

식 $50 \times 70 = 3500$　　답 3500 원

6 호성이의 심장은 1분에 68번 뜁니다. 호성이의 심장이 같은 빠르기로 1시간 동안 뛴다면 모두 몇 번 뛸까요?

식 $68 \times 60 = 4080$　　답 4080 번

22·23쪽

형성평가

1 빈칸에 알맞은 수를 쓰세요.

×		
3	213	639
312	2	624
936	426	

×		
222	2	444
4	121	484
888	242	

×		
9	101	909
110	6	660
990	606	

×		
133	2	266
3	323	969
399	646	

2 관계있는 것끼리 선으로 이으세요.

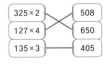

325×2 — 650
127×4 — 508
135×3 — 405

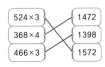

524×3 — 1472
368×4 — 1398
466×3 — 1572

3 한 번에 210명이 탈 수 있는 열차가 서울에서 대구까지 하루에 3번 운행합니다. 이 열차로 하루 동안 서울에서 대구까지 갈 수 있는 승객은 최대 몇 명일까요?

식 $210 \times 3 = 630$ 답 630 명

4 간단히 계산할 수 있는 식을 만들어 다음 계산을 하세요.

$$352 + 352 + 352 + 352 + 352 + 352 + 352$$

식 $352 \times 7 = 2464$ 답 2464

5 곱셈을 하세요.

$$\begin{array}{r} 4 \\ \times\ 2\ 9 \\ \hline 1\ 1\ 6 \end{array} \qquad \begin{array}{r} 8 \\ \times\ 1\ 6 \\ \hline 1\ 2\ 8 \end{array} \qquad \begin{array}{r} 7 \\ \times\ 1\ 7 \\ \hline 1\ 1\ 9 \end{array}$$

$$\begin{array}{r} 6 \\ \times\ 3\ 8 \\ \hline 2\ 2\ 8 \end{array} \qquad \begin{array}{r} 3 \\ \times\ 7\ 5 \\ \hline 2\ 2\ 5 \end{array} \qquad \begin{array}{r} 5 \\ \times\ 4\ 3 \\ \hline 2\ 1\ 5 \end{array}$$

24쪽

6 바구니 1개에 사탕이 72개씩 들어 있을 때 바구니 7개에 들어 있는 사탕은 모두 몇 개일까요?

식 $72 \times 7 = 504$ 답 504 개

7 □ 안에 알맞은 수를 쓰세요.

$40 \times 70 = 2800$ $60 \times 80 = 4800$ $50 \times 60 = 3000$

$70 \times 14 = 980$ $25 \times 20 = 500$ $30 \times 70 = 2100$

8 장난감 로봇을 하루에 90개씩 만드는 공장이 있습니다. 이 공장에서 30일 동안 만들 수 있는 장난감 로봇은 모두 몇 개일까요?

식 $90 \times 30 = 2700$ 답 2700 개

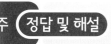
두 자리 수끼리의 곱셈과 활용

26·27 쪽

C 293 두 자리 수끼리의 곱셈 (1)

개념 곱이 세 자리 수인 두 자리 수끼리의 곱셈을 알아봅시다.

$$
\begin{array}{r}
1\ 3 \\
\times\ 2\ 6 \\
\hline
7\ 8 \\
2\ 6 \\
\hline
3\ 3\ 8
\end{array}
$$

· 13 × 6
· 13 × 2

13과 일의 자리 6을 먼저 곱하고
13과 십의 자리 2를 곱한 후
자리에 맞게 더합니다.

$$
\begin{array}{r}
1\ 2 \\
\times\ 8\ 2 \\
\hline
2\ 4 \\
9\ 6 \\
\hline
9\ 8\ 4
\end{array}
$$
· 12 × 2
· 12 × 8

$$
\begin{array}{r}
2\ 8 \\
\times\ 2\ 3 \\
\hline
8\ 4 \\
5\ 6 \\
\hline
6\ 4\ 4
\end{array}
$$
· 28 × 3
· 28 × 2

$$
\begin{array}{r}
2\ 5 \\
\times\ 3\ 4 \\
\hline
1\ 0\ 0 \\
7\ 5 \\
\hline
8\ 5\ 0
\end{array}
$$
· 25 × 4
· 25 × 3

$$
\begin{array}{r}
4\ 2 \\
\times\ 2\ 1 \\
\hline
4\ 2 \\
8\ 4 \\
\hline
8\ 8\ 2
\end{array}
$$
· 42 × 1
· 42 × 2

$$
\begin{array}{r}
1\ 7 \\
\times\ 5\ 2 \\
\hline
8\ 8\ 4
\end{array}
\qquad
\begin{array}{r}
3\ 2 \\
\times\ 2\ 4 \\
\hline
7\ 6\ 8
\end{array}
\qquad
\begin{array}{r}
2\ 9 \\
\times\ 2\ 2 \\
\hline
6\ 3\ 8
\end{array}
$$

$$
\begin{array}{r}
3\ 8 \\
\times\ 1\ 3 \\
\hline
4\ 9\ 4
\end{array}
\qquad
\begin{array}{r}
2\ 7 \\
\times\ 3\ 2 \\
\hline
8\ 6\ 4
\end{array}
\qquad
\begin{array}{r}
1\ 5 \\
\times\ 3\ 6 \\
\hline
5\ 4\ 0
\end{array}
$$

$$
\begin{array}{r}
2\ 3 \\
\times\ 4\ 3 \\
\hline
9\ 8\ 9
\end{array}
\qquad
\begin{array}{r}
5\ 1 \\
\times\ 1\ 8 \\
\hline
9\ 1\ 8
\end{array}
\qquad
\begin{array}{r}
3\ 3 \\
\times\ 2\ 6 \\
\hline
8\ 5\ 8
\end{array}
$$

43 × 15 = 645 26 × 34 = 884 19 × 18 = 342

36 × 21 = 756 23 × 26 = 598 14 × 24 = 336

28·29 쪽

응용연산

1 다음과 같이 배와 반을 이용하여 곱셈을 하세요.

15의 2배
42 × 15 = 21 × 30 = 630
42의 반

64 × 15 = 32 × 30
= 960

18 × 35 = 9 × 70
= 630

25 × 22 = 50 × 11
= 550

35 × 14 = 70 × 7
= 490

2 ☐안에 알맞은 수를 쓰세요.

24 × 10 = 16 × 15

30 × 32 = 15 × 64

30 × 20 = 24 × 25

60 × 13 = 65 × 12

18 × 40 = 45 × 16

10 × 80 = 32 × 25

3 ☐안에 알맞은 수를 쓰세요.

$$
\begin{array}{r}
2\ 4 \\
\times\ 1\ 9 \\
\hline
2\ 1\ 6 \\
2\ 4 \\
\hline
4\ 5\ 6
\end{array}
\qquad
\begin{array}{r}
3\ 8 \\
\times\ 2\ 6 \\
\hline
2\ 2\ 8 \\
7\ 6 \\
\hline
9\ 8\ 8
\end{array}
\qquad
\begin{array}{r}
4\ 4 \\
\times\ 1\ 7 \\
\hline
3\ 0\ 8 \\
4\ 4 \\
\hline
7\ 4\ 8
\end{array}
$$

4 수진이네 학교에는 모두 24개의 교실이 있습니다. 각 교실에 학생용 책상이 28개씩 있다면 수진이네 학교에 있는 학생용 책상은 모두 몇 개일까요?

식 24 × 28 = 672 답 672 개

5 종호는 책을 하루에 25쪽씩 읽으려고 합니다. 3주 동안 매일 책을 읽는다면 책은 모두 몇 쪽을 읽을 수 있을까요?

식 25 × 21 = 525 답 525 쪽

6 어떤 수에 18을 곱해야 할 것을 잘못하여 18을 더했더니 45가 되었습니다. 바르게 계산하면 얼마일까요?

잘못된 식: 식 ☐ + 18 = 45 어떤 수: 27

바르게 계산하기: 식 27 × 18 = 486 답 486

30·31쪽

2일 C 294 두 자리 수끼리의 곱셈 (2)

개념쏙쏙 두 자리 수끼리의 곱셈을 알아봅시다.

```
        2 7
    ×   8 2
    ─────────
        5 4
    2 1 6
    ─────────
    2 2 1 4
```
27과 일의 자리 2를 먼저 곱하고
27과 십의 자리 8을 곱한 값을 더합니다.

```
        3 8
    ×   4 5
    ─────────
    1 9 0
    1 5 2
    ─────────
    1 7 1 0
```
38과 일의 자리 5를 먼저 곱하고
38과 십의 자리 4를 곱한 값을 더합니다.

```
        2 7
    ×   6 2
    ─────────
        5 4
    1 6 2
    ─────────
    1 6 7 4
```

```
        5 4
    ×   7 3
    ─────────
    1 6 2
    3 7 8
    ─────────
    3 9 4 2
```

```
        8 2
    ×   4 1
    ─────────
        8 2
    3 2 8
    ─────────
    3 3 6 2
```

```
        6 3
    ×   5 9
    ─────────
    5 6 7
    3 1 5
    ─────────
    3 7 1 7
```

```
        4 1
    ×   2 8
    ─────────
    1 1 4 8
```

```
        6 3
    ×   7 7
    ─────────
    4 8 5 1
```

```
        9 0
    ×   6 3
    ─────────
    5 6 7 0
```

```
        5 2
    ×   3 4
    ─────────
    1 7 6 8
```

```
        8 3
    ×   4 6
    ─────────
    3 8 1 8
```

```
        2 3
    ×   6 5
    ─────────
    1 4 9 5
```

```
        3 8
    ×   9 7
    ─────────
    3 6 8 6
```

```
        8 0
    ×   5 5
    ─────────
    4 4 0 0
```

```
        4 2
    ×   6 8
    ─────────
    2 8 5 6
```

$24 \times 80 = 1920$ $57 \times 91 = 5187$ $82 \times 74 = 6068$

$43 \times 30 = 1290$ $49 \times 48 = 2352$ $38 \times 28 = 1064$

32·33쪽

응용연산

1 빈칸에 알맞은 수를 쓰세요.

×45	
33	1485
83	3735
60	2700

×29	
93	2697
40	1160
75	2175

2 □안에 알맞은 수를 쓰세요.

```
        2 8
    ×   6 7
    ─────────
    1 9 6
  1 6 8
    ─────────
  1 8 7 6
```

```
        5 3
    ×   3 9
    ─────────
    4 7 7
  1 5 9
    ─────────
  2 0 6 7
```

```
        7 4
    ×   7 4
    ─────────
    2 9 6
  5 1 8
    ─────────
  5 4 7 6
```

```
        9 6
    ×   5 2
    ─────────
    1 9 2
  4 8 0
    ─────────
  4 9 9 2
```

3 계산에서 틀린 곳을 찾아 바르게 고치세요.

```
        2 4
    ×   3 6
    ─────────
    1 2 2 4
    6 1 2
    ─────────
    7 3 4 4
```

```
        5 8
    ×   3 5
    ─────────
    2 9 0
    1 7 4
    ─────────
    4 6 4
```

```
        7 2
    ×   6 3
    ─────────
    2 1 6
    4 2 2
    ─────────
    4 4 3 6
```

```
        2 4
    ×   3 6
    ─────────
    1 4 4
    7 2
    ─────────
    8 6 4
```

```
        5 8
    ×   3 5
    ─────────
    2 9 0
    1 7 4
    ─────────
    2 0 3 0
```

```
        7 2
    ×   6 3
    ─────────
    2 1 6
    4 3 2
    ─────────
    4 5 3 6
```

4 밤을 큰 봉지에 54개씩 26봉지에 담고, 작은 봉지에 24개씩 13봉지에 담았습니다. 봉지에 담은 밤은 모두 몇 개일까요?

$54 \times 26 + 24 \times 13 = 1716$ **1716** 개
$1404 + 312 = 1716$

5 어떤 수에 57을 곱해야 하는데 잘못하여 57을 더했더니 99가 되었습니다. 바르게 계산하면 얼마일까요?

잘못된 식: 📷 $\square + 57 = 99$ 어떤 수: **42**

바르게 계산하기: 📷 $42 \times 57 = 2394$ 답 **2394**

C 295 3일

여러 가지 곱셈

개념원리

여러 가지 곱셈을 알아봅시다.

(세 자리 수)×(한 자리 수)

$$
\begin{array}{r}
{\scriptstyle 1\ 1}\\
3\ 6\ 5\\
\times\quad\ 3\\
\hline
1\ 0\ 9\ 5
\end{array}
$$

(한 자리 수)×(두 자리 수)

$$
\begin{array}{r}
{\scriptstyle 3}\\
8\\
\times\quad 5\ 4\\
\hline
4\ 3\ 2
\end{array}
$$

(두 자리 수)×(두 자리 수)

$$
\begin{array}{r}
7\ 6\\
\times\quad 4\ 5\\
\hline
3\ 8\ 0\\
3\ 0\ 4\ \ \\
\hline
3\ 4\ 2\ 0
\end{array}
$$

$$
\begin{array}{r}
{\scriptstyle 1}\\
8\ 2\ 3\\
\times\quad\ 4\\
\hline
3\ 2\ 9\ 2
\end{array}
\qquad
\begin{array}{r}
{\scriptstyle 2}\\
5\ 9\ 3\\
\times\quad\ 3\\
\hline
1\ 7\ 7\ 9
\end{array}
\qquad
\begin{array}{r}
{\scriptstyle 4\ 3}\\
2\ 7\ 5\\
\times\quad\ 6\\
\hline
1\ 6\ 5\ 0
\end{array}
$$

$$
\begin{array}{r}
{\scriptstyle 2}\\
9\ 3\\
\times\quad 2\\
\hline
1\ 8\ 6
\end{array}
\qquad
\begin{array}{r}
{\scriptstyle 2}\\
7\\
\times\ 1\ 4\\
\hline
9\ 8
\end{array}
\qquad
\begin{array}{r}
{\scriptstyle 3}\\
8\\
\times\ 9\ 4\\
\hline
7\ 5\ 2
\end{array}
$$

$$
\begin{array}{r}
1\ 8\\
\times\ 4\ 5\\
\hline
9\ 0\\
7\ 2\ \ \\
\hline
8\ 1\ 0
\end{array}
\qquad
\begin{array}{r}
3\ 7\\
\times\ 2\ 6\\
\hline
2\ 2\ 2\\
7\ 4\ \ \\
\hline
9\ 6\ 2
\end{array}
\qquad
\begin{array}{r}
6\ 6\\
\times\ 3\ 8\\
\hline
5\ 2\ 8\\
1\ 9\ 8\ \ \\
\hline
2\ 5\ 0\ 8
\end{array}
$$

$$
\begin{array}{r}
1\ 0\ 5\\
\times\quad\ 2\\
\hline
2\ 1\ 0
\end{array}
\qquad
\begin{array}{r}
2\ 1\ 0\\
\times\quad\ 4\\
\hline
8\ 4\ 0
\end{array}
\qquad
\begin{array}{r}
5\ 0\ 3\\
\times\quad\ 5\\
\hline
2\ 5\ 1\ 5
\end{array}
$$

$$
\begin{array}{r}
3\ 6\ 5\\
\times\quad\ 3\\
\hline
1\ 0\ 9\ 5
\end{array}
\qquad
\begin{array}{r}
2\ 8\ 9\\
\times\quad\ 6\\
\hline
1\ 7\ 3\ 4
\end{array}
\qquad
\begin{array}{r}
9\ 7\ 5\\
\times\quad\ 4\\
\hline
3\ 9\ 0\ 0
\end{array}
$$

$$
\begin{array}{r}
8\\
\times\ 7\ 1\\
\hline
5\ 6\ 8
\end{array}
\qquad
\begin{array}{r}
5\\
\times\ 2\ 7\\
\hline
1\ 3\ 5
\end{array}
\qquad
\begin{array}{r}
9\\
\times\ 9\ 9\\
\hline
8\ 9\ 1
\end{array}
$$

$$
\begin{array}{r}
2\ 0\\
\times\ 6\ 0\\
\hline
1\ 2\ 0\ 0
\end{array}
\qquad
\begin{array}{r}
5\ 1\\
\times\ 4\ 0\\
\hline
2\ 0\ 4\ 0
\end{array}
\qquad
\begin{array}{r}
7\ 0\\
\times\ 6\ 4\\
\hline
4\ 4\ 8\ 0
\end{array}
$$

$$
\begin{array}{r}
2\ 1\\
\times\ 3\ 2\\
\hline
6\ 7\ 2
\end{array}
\qquad
\begin{array}{r}
3\ 7\\
\times\ 1\ 4\\
\hline
5\ 1\ 8
\end{array}
\qquad
\begin{array}{r}
3\ 5\\
\times\ 2\ 9\\
\hline
1\ 0\ 1\ 5
\end{array}
$$

응용연산

1 다음과 같이 배와 반을 이용하여 곱셈을 하세요.

75의 2배

$75×16 = \boxed{150} × \boxed{8} = \boxed{1200}$

16의 반

$55×18 = \boxed{110} × \boxed{9}$
$\quad\quad = \boxed{990}$

$65×12 = \boxed{130} × \boxed{6}$
$\quad\quad = \boxed{780}$

$14×85 = \boxed{7} × \boxed{170}$
$\quad\quad = \boxed{1190}$

$16×55 = \boxed{8} × \boxed{110}$
$\quad\quad = \boxed{880}$

2 ☐ 안에 들어갈 수 있는 수를 모두 쓰세요.

$24×50 < 250×\boxed{\ } < 42×50$ \qquad 5, 6, 7, 8

$250×4 < 85×\boxed{\ } < 215×6$ \qquad 12, 13, 14, 15

3 약속에 맞게 다음을 계산하세요.

약속 : 가 ⊙ 나 = (가 + 나) × (가 − 나)

$64 ⊙ 24 = (\boxed{64} + \boxed{24}) × (\boxed{64} − \boxed{24})$
$\quad\quad\quad = \boxed{88} × \boxed{40}$
$\quad\quad\quad = \boxed{3520}$

$62 ⊙ 55 = (\boxed{62} + \boxed{55}) × (\boxed{62} − \boxed{55})$
$\quad\quad\quad = \boxed{117} × \boxed{7}$
$\quad\quad\quad = \boxed{819}$

4 과일 가게에 배가 한 상자에 8개씩 156상자, 사과가 한 상자에 12개씩 72상자 있습니다. 어느 과일이 몇 개 더 많을까요?

배 가 384 개 더 많습니다.

배: 8×156=1248, 사과: 12×72=864, 1248−864=384

5 어느 방의 한 쪽 벽면에 타일을 붙이는 데 가로로 32장, 세로로 27장의 타일이 필요하다고 합니다. 똑같은 크기의 세 벽면에 타일을 붙이려면 타일은 모두 몇 개 필요할까요?

$32×27×3=2592$ \qquad 2592 개

정답 및 해설 **9**

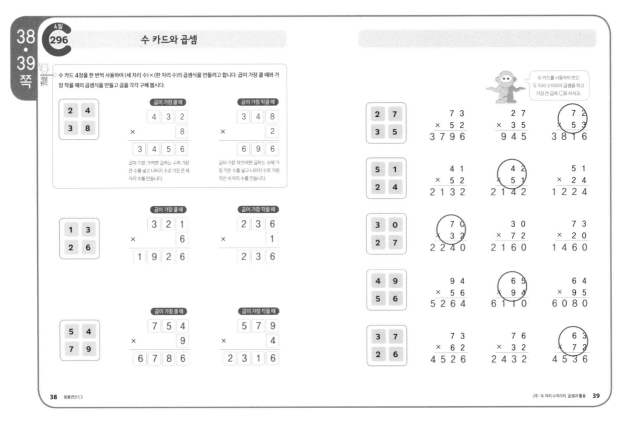

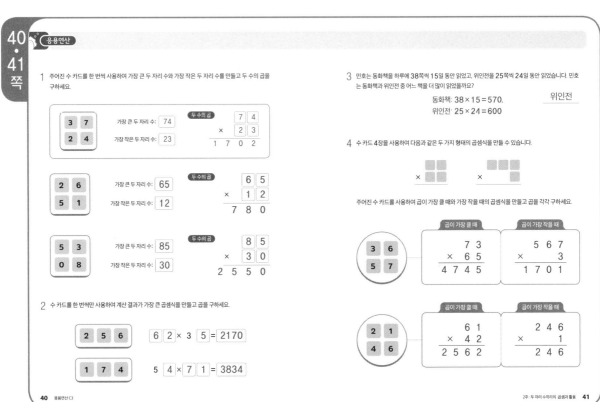

형성평가

1 곱셈을 하세요.

$$\begin{array}{r} 1\ 3 \\ \times\ 2\ 5 \\ \hline 3\ 2\ 5 \end{array}$$

$$\begin{array}{r} 2\ 8 \\ \times\ 3\ 1 \\ \hline 8\ 6\ 8 \end{array}$$

$$\begin{array}{r} 5\ 7 \\ \times\ 1\ 4 \\ \hline 7\ 9\ 8 \end{array}$$

$$\begin{array}{r} 4\ 8 \\ \times\ 1\ 5 \\ \hline 7\ 2\ 0 \end{array}$$

$$\begin{array}{r} 1\ 6 \\ \times\ 3\ 8 \\ \hline 6\ 0\ 8 \end{array}$$

$$\begin{array}{r} 4\ 1 \\ \times\ 2\ 3 \\ \hline 9\ 4\ 3 \end{array}$$

$$\begin{array}{r} 1\ 7 \\ \times\ 5\ 2 \\ \hline 8\ 8\ 4 \end{array}$$

$$\begin{array}{r} 4\ 2 \\ \times\ 2\ 2 \\ \hline 9\ 2\ 4 \end{array}$$

$$\begin{array}{r} 2\ 5 \\ \times\ 2\ 9 \\ \hline 7\ 2\ 5 \end{array}$$

2 □안에 알맞은 수를 쓰세요.

$\boxed{15} \times 20 = 25 \times 12$

$40 \times \boxed{18} = 15 \times 48$

$\boxed{12} \times 60 = 45 \times 16$

$10 \times \boxed{99} = 18 \times 55$

$\boxed{56} \times 30 = 35 \times 48$

$50 \times \boxed{21} = 75 \times 14$

3 곱셈을 하세요.

$$\begin{array}{r} 5\ 6 \\ \times\ 3\ 8 \\ \hline 2\ 1\ 2\ 8 \end{array}$$

$$\begin{array}{r} 3\ 7 \\ \times\ 4\ 9 \\ \hline 1\ 8\ 1\ 3 \end{array}$$

$$\begin{array}{r} 2\ 6 \\ \times\ 9\ 3 \\ \hline 2\ 4\ 1\ 8 \end{array}$$

$$\begin{array}{r} 7\ 3 \\ \times\ 2\ 9 \\ \hline 2\ 1\ 1\ 7 \end{array}$$

$$\begin{array}{r} 6\ 2 \\ \times\ 8\ 5 \\ \hline 5\ 2\ 7\ 0 \end{array}$$

$$\begin{array}{r} 4\ 6 \\ \times\ 4\ 2 \\ \hline 1\ 9\ 3\ 2 \end{array}$$

$$\begin{array}{r} 7\ 8 \\ \times\ 8\ 3 \\ \hline 6\ 4\ 7\ 4 \end{array}$$

$$\begin{array}{r} 4\ 2 \\ \times\ 5\ 8 \\ \hline 2\ 4\ 3\ 6 \end{array}$$

$$\begin{array}{r} 9\ 5 \\ \times\ 7\ 3 \\ \hline 6\ 9\ 3\ 5 \end{array}$$

4 어느 도서관의 책장에 과학 잡지는 46권씩 23줄이 꽂혀있고, 수학 잡지는 38권씩 34줄이 꽂혀있습니다. 이 도서관의 과학 잡지와 수학 잡지는 모두 몇 권일까요?

$46 \times 23 + 38 \times 34 = 2350$ $\boxed{2350}$ 권

5 어떤 수에 49를 곱해야 하는데 잘못하여 49를 더했더니 72가 되었습니다. 바르게 계산하면 얼마일까요?

잘못된 식: 집 $\boxed{} + 49 = 72$ 어떤 수: $\boxed{23}$

바르게 계산하기: 집 $23 \times 49 = 1127$ 집 $\boxed{1127}$

6 □안에 들어갈 수 있는 수를 모두 쓰세요.

$30 \times 55 < 280 \times \boxed{} < 44 \times 55$ 6, 7, 8

$320 \times 5 < 92 \times \boxed{} < 215 \times 9$ 18, 19, 20, 21

$71 \times 70 < 830 \times \boxed{} < 94 \times 80$ 6, 7, 8, 9

7 주어진 수 카드를 한 번씩 사용하여 계산 결과가 가장 큰 곱셈식을 만들고 곱을 구하세요.

[3] [4] [9] $7\ \boxed{4} \times 9\ \boxed{3} = \boxed{6882}$

[2] [6] [8] $8\ \boxed{2} \times \boxed{6}\ 3 = \boxed{5166}$

세·네 자리 수와 두 자리 수의 곱셈

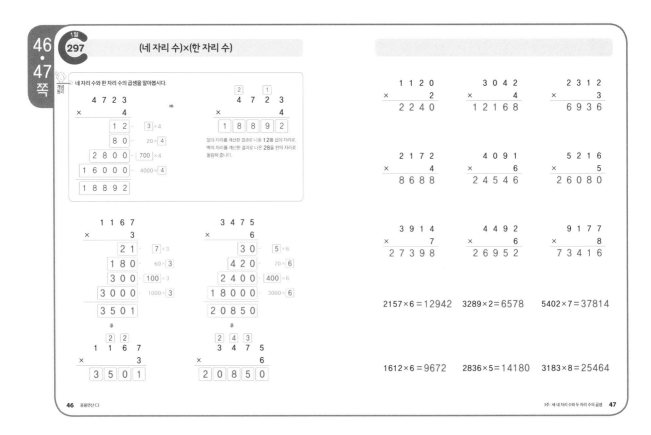

응용연산

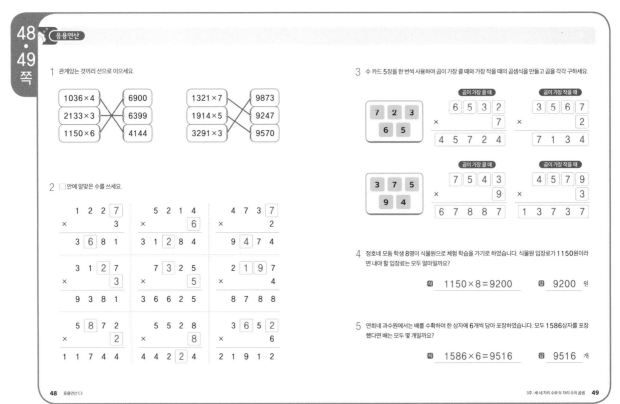

2일 298 (세 자리 수)×(두 자리 수)

세 자리 수와 두 자리 수의 곱셈을 알아봅시다.

$$
\begin{array}{r}
1\ 3\ 6 \\
\times\quad 2\ 1 \\
\hline
1\ 3\ 6 \\
2\ 7\ 2\ \\
\hline
2\ 8\ 5\ 6
\end{array}
$$

→ 136×1+136× 20
= 136 + 2720
= 2856

(세 자리 수)×(두 자리 수의 일의 자리 수)를 계산하고
(세 자리 수)×(두 자리 수의 십의 자리 수)를 계산한 다음 구한 값을 더합니다.

$$
\begin{array}{r}
4\ 6\ 3 \\
\times\quad 2\ 7 \\
\hline
3\ 2\ 4\ 1 \\
9\ 2\ 6\ \\
\hline
1\ 2\ 5\ 0\ 1
\end{array}
$$

→ 463×7+463× 20
= 3241 + 9260
= 12501

$$
\begin{array}{r}
8\ 2\ 9 \\
\times\quad 5\ 3 \\
\hline
2\ 4\ 8\ 7 \\
4\ 1\ 4\ 5\ \\
\hline
4\ 3\ 9\ 3\ 7
\end{array}
$$

→ 829×3+829× 50
= 2487 + 41450
= 43937

$$
\begin{array}{r}
5\ 3\ 9 \\
\times\quad\ 2\ 0 \\
\hline
1\ 0\ 7\ 8\ 0
\end{array}
\qquad
\begin{array}{r}
7\ 2\ 9 \\
\times\quad\ 5\ 0 \\
\hline
3\ 6\ 4\ 5\ 0
\end{array}
\qquad
\begin{array}{r}
8\ 0\ 8 \\
\times\quad\ 7\ 0 \\
\hline
5\ 6\ 5\ 6\ 0
\end{array}
$$

$$
\begin{array}{r}
1\ 3\ 6 \\
\times\quad 2\ 1 \\
\hline
2\ 8\ 5\ 6
\end{array}
\qquad
\begin{array}{r}
2\ 3\ 5 \\
\times\quad 1\ 5 \\
\hline
3\ 5\ 2\ 5
\end{array}
\qquad
\begin{array}{r}
3\ 1\ 5 \\
\times\quad 2\ 4 \\
\hline
7\ 5\ 6\ 0
\end{array}
$$

$$
\begin{array}{r}
2\ 0\ 5 \\
\times\quad 7\ 3 \\
\hline
1\ 4\ 9\ 6\ 5
\end{array}
\qquad
\begin{array}{r}
3\ 4\ 6 \\
\times\quad 2\ 7 \\
\hline
9\ 3\ 4\ 2
\end{array}
\qquad
\begin{array}{r}
1\ 7\ 8 \\
\times\quad 5\ 7 \\
\hline
1\ 0\ 1\ 4\ 6
\end{array}
$$

150×30=4500   370×60=22200   246×70=17220

139×50=6950   450×24=10800   310×72=22320

응용연산

1 곱셈을 하세요.

38×8 = 304   25×9 = 225

380×8 = 3040   250×9 = 2250

380×80 = 30400   250×90 = 22500

2 곱셈을 하고 곱이 큰 것부터 차례대로 ☐ 안에 1, 2, 3의 번호를 쓰세요.

3
$$
\begin{array}{r}
2\ 3\ 7 \\
\times\quad 4\ 3 \\
\hline
1\ 0\ 1\ 9\ 1
\end{array}
$$

2
$$
\begin{array}{r}
2\ 3\ 6 \\
\times\quad 4\ 5 \\
\hline
1\ 0\ 6\ 2\ 0
\end{array}
$$

1
$$
\begin{array}{r}
2\ 3\ 5 \\
\times\quad 4\ 6 \\
\hline
1\ 0\ 8\ 1\ 0
\end{array}
$$

3 ☐ 안에 알맞은 수를 쓰세요.

$$
\begin{array}{r}
3\ 8\ 4 \\
\times\quad\ 6\ 3 \\
\hline
1\ 1\ 5\ 2 \\
2\ 3\ 0\ 4\ \\
\hline
2\ 4\ 1\ 9\ 2
\end{array}
\qquad
\begin{array}{r}
6\ 5\ 9 \\
\times\quad\ 8\ 7 \\
\hline
4\ 6\ 1\ 3 \\
5\ 2\ 7\ 2\ \\
\hline
5\ 7\ 3\ 3\ 3
\end{array}
$$

4 상자에서 빨간색 공 3개, 파란색 공 2개를 꺼내 (세 자리 수)×(두 자리 수)의 곱셈식을 만들려고 합니다. 곱이 가장 클 때와 가장 작을 때의 곱셈식을 만들고 곱을 각각 구하세요.

곱이 가장 클 때
$$
\begin{array}{r}
7\ 6\ 5 \\
\times\quad\ 9\ 8 \\
\hline
7\ 4\ 9\ 7\ 0
\end{array}
$$

곱이 가장 작을 때
$$
\begin{array}{r}
2\ 5\ 6 \\
\times\quad\ 3\ 4 \\
\hline
8\ 7\ 0\ 4
\end{array}
$$

5 종호는 저금통에 50원짜리 동전 148개, 500원짜리 동전 76개를 모았습니다.

50원짜리 동전은 모두 얼마일까요?

식 50×148=7400   답 7400 원

500원짜리 동전은 모두 얼마일까요?

식 500×76=38000   답 38000 원

모은 동전은 모두 얼마일까요?

식 7400+38000=45400   답 45400 원

54·55쪽

3일 299 (네 자리 수)×(두 자리 수)

개념원리

네 자리 수와 두 자리 수의 곱셈을 알아봅시다.

$$
\begin{array}{r}
3461 \\
\times\quad 23 \\
\hline
10383 \\
6922\ \\
\hline
79603
\end{array}
$$

⇒ $3461\times3+3461\times\boxed{20}$

$= \boxed{10383} + \boxed{69220}$

$= \boxed{79603}$

(네 자리 수)×(두 자리 수의 일의 자리 수)를 계산하고
(네 자리 수)×(두 자리 수의 십의 자리 수)를 계산한 다음 구한 값을 더합니다.

$$
\begin{array}{r}
2875 \\
\times\quad 34 \\
\hline
11500 \\
8625\ \\
\hline
97750
\end{array}
$$

⇒ $2875\times4+2875\times\boxed{30}$

$= \boxed{11500} + \boxed{86250}$

$= \boxed{97750}$

$$
\begin{array}{r}
3396 \\
\times\quad 27 \\
\hline
23772 \\
6792\ \\
\hline
91692
\end{array}
$$

⇒ $3396\times7+3396\times\boxed{20}$

$= \boxed{23772} + \boxed{67920}$

$= \boxed{91692}$

$$
\begin{array}{r}
1030 \\
\times\quad 60 \\
\hline
61800
\end{array}
\qquad
\begin{array}{r}
2840 \\
\times\quad 30 \\
\hline
85200
\end{array}
\qquad
\begin{array}{r}
1005 \\
\times\quad 40 \\
\hline
40200
\end{array}
$$

$$
\begin{array}{r}
3100 \\
\times\quad 15 \\
\hline
46500
\end{array}
\qquad
\begin{array}{r}
1230 \\
\times\quad 58 \\
\hline
71340
\end{array}
\qquad
\begin{array}{r}
4345 \\
\times\quad 20 \\
\hline
86900
\end{array}
$$

$$
\begin{array}{r}
2022 \\
\times\quad 33 \\
\hline
66726
\end{array}
\qquad
\begin{array}{r}
1721 \\
\times\quad 42 \\
\hline
72282
\end{array}
\qquad
\begin{array}{r}
3205 \\
\times\quad 28 \\
\hline
89740
\end{array}
$$

$$
\begin{array}{r}
1238 \\
\times\quad 21 \\
\hline
25998
\end{array}
\qquad
\begin{array}{r}
2341 \\
\times\quad 15 \\
\hline
35115
\end{array}
\qquad
\begin{array}{r}
3254 \\
\times\quad 24 \\
\hline
78096
\end{array}
$$

56·57쪽

응용연산

1 곱셈을 하세요.

$23\times4 = \boxed{92}$　　　$16\times6 = \boxed{96}$

$230\times4 = \boxed{920}$　　　$160\times6 = \boxed{960}$

$230\times40 = \boxed{9200}$　　　$160\times60 = \boxed{9600}$

$2300\times40 = \boxed{92000}$　　　$1600\times60 = \boxed{96000}$

2 곱셈을 하고 곱이 가장 큰 곱셈식에 ○표, 곱이 가장 작은 곱셈식에 △표 하세요.

$3724\times4 = 14896$　$\enclose{circle}{2546\times6}=15276$　$\triangle\,4387\times3=13161$

3 □ 안에 알맞은 수를 쓰세요.

$$
\begin{array}{r}
2\ 8\ 7\ \boxed{5} \\
\times\qquad \boxed{3}\ 2 \\
\hline
5\ 7\ 5\ 0 \\
8\ \boxed{6}\ 2\ 5\ \\
\hline
9\ \boxed{2}\ 0\ 0\ 0
\end{array}
\qquad
\begin{array}{r}
\boxed{1}\ 9\ 3\ 6 \\
\times\qquad 2\ \boxed{7} \\
\hline
1\ 3\ 5\ 5\ 2 \\
3\ 8\ \boxed{7}\ 2\ \\
\hline
5\ 2\ \boxed{2}\ 7\ 2
\end{array}
$$

4 수 카드를 왼쪽에서 4장, 오른쪽에서 2장을 뽑아 (네 자리 수)×(두 자리 수)의 곱셈식을 만들려고 합니다. 곱이 가장 작은 곱셈식을 만들고 곱을 구하세요.

| 1 | 5 | 9 | 2 | 6 |
| 7 | 3 | | 8 | 4 |

$$
\begin{array}{r}
1\ 3\ 5\ 7 \\
\times\qquad 2\ 4 \\
\hline
3\ 2\ 5\ 6\ 8
\end{array}
$$

5 규민이의 전집은 2368쪽짜리 책 34권으로 이루어져 있습니다. 전집은 모두 몇 쪽일까요?

식 $2368\times34=80512$　　답 80512 쪽

6 티셔츠를 만드는 공장이 있습니다.

티셔츠 1장을 만드는 비용이 3480원일 때 티셔츠 25장을 만드는 비용은 모두 얼마일까요?

식 $3480\times25=87000$　　답 87000 원

티셔츠 1장을 팔면 이익이 1250원일 때 티셔츠 75장을 팔면 이익은 모두 얼마일까요?

식 $1250\times75=93750$　　답 93750 원

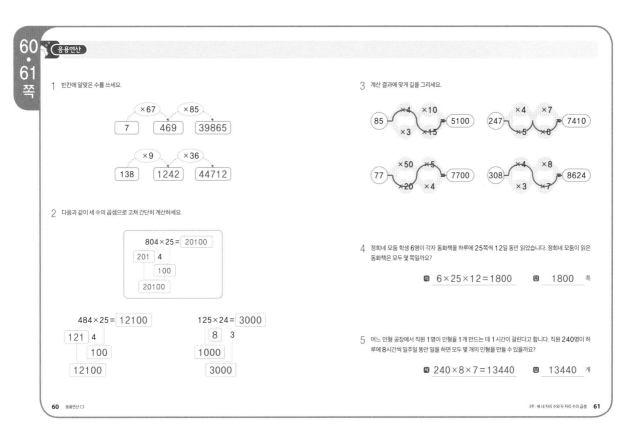

300 C

세 수의 곱셈

세 수의 곱셈을 알아봅시다.

$42 \times 5 \times 34 = \boxed{7140}$ ➡

```
        4 2
    ×     5
    2 1 0  · 42×5
    ×   3 4
    7 1 4 0
```

$\boxed{210}$
$\boxed{7140}$

세 수의 곱셈은 먼저 두 수를 곱하고 그 곱에 나머지 수를 곱합니다.

$53 \times 4 \times 50 = \boxed{10600}$ ➡

```
        5 3
    ×  2 0 0  · 4×50
  1 0 6 0 0
```

$\boxed{200}$
$\boxed{10600}$

먼저 뒤의 두 수를 곱하고 그 곱에 처음의 수를 곱하는 것이 편리할 때도 있습니다.

$28 \times 5 \times 17 = \boxed{2380}$ ➡

```
        2 8
    ×     5
    1 4 0
    ×   1 7
    2 3 8 0
```

$\boxed{140}$
$\boxed{2380}$

$39 \times 5 \times 40 = \boxed{7800}$ ➡

```
        3 9
    ×  2 0 0
  7 8 0 0
```

$\boxed{200}$
$\boxed{7800}$

$33 \times 4 \times 25 = 3300$

$48 \times 5 \times 8 = 1920$

$3 \times 402 \times 9 = 10854$

$4 \times 35 \times 62 = 8680$

$3 \times 60 \times 8 = 1440$

$20 \times 5 \times 19 = 1900$

$7 \times 5 \times 63 = 2205$

$40 \times 28 \times 6 = 6720$

$5 \times 7 \times 70 = 2450$

$8 \times 234 \times 4 = 7488$

응용연산

1 빈칸에 알맞은 수를 쓰세요.

$\boxed{7}$ ⟶×67⟶ $\boxed{469}$ ⟶×85⟶ $\boxed{39865}$

$\boxed{138}$ ⟶×9⟶ $\boxed{1242}$ ⟶×36⟶ $\boxed{44712}$

2 다음과 같이 세 수의 곱셈으로 고쳐 간단히 계산하세요.

```
    804 × 25 = 20100
  201   4
        100
      20100
```

```
    484 × 25 = 12100
  121   4
        100
      12100
```

```
    125 × 24 = 3000
      8   3
      1000
      3000
```

3 계산 결과에 맞게 길을 그리세요.

85 ⟨×4 ×10 / ×3 ×15⟩ 5100

247 ⟨×4 ×7 / ×5 ×6⟩ 7410

77 ⟨×50 ×5 / ×20 ×4⟩ 7700

308 ⟨×4 ×8 / ×3 ×7⟩ 8624

4 정희네 모둠 학생 6명이 각자 동화책을 하루에 25쪽씩 12일 동안 읽었습니다. 정희네 모둠이 읽은 동화책은 모두 몇 쪽일까요?

식 $6 \times 25 \times 12 = 1800$ 답 1800 쪽

5 어느 인형 공장에서 직원 1명이 인형을 1개 만드는 데 1시간이 걸린다고 합니다. 직원 240명이 하루에 8시간씩 일주일 동안 일을 하면 모두 몇 개의 인형을 만들 수 있을까요?

식 $240 \times 8 \times 7 = 13440$ 답 13440 개

62·63쪽

5일 형성평가

1 관계있는 것끼리 선으로 이으세요.

1079×8 — 9222
1537×6 — 9352
1336×7 — 8632

1175×4 — 4700
1565×3 — 4695
1028×5 — 5140

2 수 카드 5장을 한 번씩 사용하여 곱이 가장 클 때와 가장 작을 때의 곱셈식을 만들고 곱을 각각 구하세요.

8 4 2 6 3

곱이 가장 클 때
6 4 3 2
× 　　　8
5 1 4 5 6

곱이 가장 작을 때
3 4 6 8
× 　　　2
6 9 3 6

5 9 3 7 6

곱이 가장 클 때
7 6 5 3
× 　　　9
6 8 8 7 7

곱이 가장 작을 때
5 6 7 9
× 　　　3
1 7 0 3 7

3 민영이네 반 학생 42명이 한 권에 675원인 공책을 1권씩 구매하였을 때 공책의 값은 모두 얼마일까요?

식 42×675=28350　　답 28350 원

4 곱셈을 하세요.

```
    2 7 6          4 8 2          5 3 8
  ×     8 0      ×     3 0      ×     5 0
  2 2 0 8 0      1 4 4 6 0      2 6 9 0 0

    1 5 4          3 1 9          2 6 3
  ×     1 9      ×     2 1      ×     5 6
    2 9 2 6        6 6 9 9      1 4 7 2 8

    3 7 2          2 3 3          6 1 7
  ×     6 8      ×     4 3      ×     2 8
  2 5 2 9 6      1 0 0 1 9      1 7 2 7 6
```

5 ☐ 안에 알맞은 수를 쓰세요.

```
      4 2 5 8              1 2 9 7
  ×       1 9          ×       3 8
    3 8 3 2 2          1 0 3 7 6
    4 2 5 8            3 8 9 1
  8 0 9 0 2          4 9 2 8 6
```

64쪽

6 원지네 과수원에서는 귤을 수확하여 한 상자에 24개씩 담아 포장하였습니다. 포장한 상자가 2753개일 때 귤은 모두 몇 개일까요?

식 24×2753=66072　　답 66072 개

7 빈칸에 알맞은 수를 쓰세요.

145 →(×7)→ 1015 →(×36)→ 36540

9 →(×53)→ 477 →(×62)→ 29574

68 →(×24)→ 1632 →(×54)→ 88128

8 유민이네 농장에는 암탉이 57마리 있습니다. 암탉 한 마리가 일주일에 달걀을 7개씩 낳을 때 24주 동안 낳은 달걀은 모두 몇 개일까요?

식 57×7×24=9576　　답 9576 개

세 자리 수와 한 자리 수의 나눗셈

301 (세 자리 수)÷(한 자리 수) (1)

나눗셈을 알아봅시다.

$396÷3=$ [1] [3] [2]

$$\begin{array}{r} 1\ 3\ 2 \\ 3\overline{)3\ 9\ 6} \end{array}$$

백의 자리 수 3을 3으로 나눈 몫 1을 백의 자리,
십의 자리 수 9를 3으로 나눈 몫 3을 십의 자리,
일의 자리 수 6을 3으로 나눈 몫 2를 일의 자리에 씁니다.

$248÷2=$ [1] [2] [4]

$$\begin{array}{r} 1\ 2\ 4 \\ 2\overline{)2\ 4\ 8} \end{array}$$

$682÷2=$ [3] [4] [1]

$$\begin{array}{r} 3\ 4\ 1 \\ 2\overline{)6\ 8\ 2} \end{array}$$

$690÷3=$ [2] [3] [0]

$$\begin{array}{r} 2\ 3\ 0 \\ 3\overline{)6\ 9\ 0} \end{array}$$

$848÷4=$ [2] [1] [2]

$$\begin{array}{r} 2\ 1\ 2 \\ 4\overline{)8\ 4\ 8} \end{array}$$

$555÷5=$ [1] [1] [1]

$$\begin{array}{r} 1\ 1\ 1 \\ 5\overline{)5\ 5\ 5} \end{array}$$

$707÷7=$ [1] [0] [1]

$$\begin{array}{r} 1\ 0\ 1 \\ 7\overline{)7\ 0\ 7} \end{array}$$

$840÷2=420$ $268÷2=134$ $462÷2=231$

$990÷3=330$ $399÷3=133$ $606÷3=202$

$488÷4=122$ $550÷5=110$ $666÷6=111$

$$\begin{array}{r} 1\ 2\ 3 \\ 3\overline{)3\ 6\ 9} \end{array}$$
$$\begin{array}{r} 3\ 1\ 2 \\ 2\overline{)6\ 2\ 4} \end{array}$$
$$\begin{array}{r} 2\ 1\ 1 \\ 4\overline{)8\ 4\ 4} \end{array}$$

$$\begin{array}{r} 1\ 1\ 0 \\ 2\overline{)2\ 2\ 0} \end{array}$$
$$\begin{array}{r} 1\ 0\ 1 \\ 5\overline{)5\ 0\ 5} \end{array}$$
$$\begin{array}{r} 3\ 3\ 3 \\ 3\overline{)9\ 9\ 9} \end{array}$$

$$\begin{array}{r} 1\ 1\ 1 \\ 7\overline{)7\ 7\ 7} \end{array}$$
$$\begin{array}{r} 2\ 4\ 3 \\ 2\overline{)4\ 8\ 6} \end{array}$$
$$\begin{array}{r} 1\ 1\ 1 \\ 9\overline{)9\ 9\ 9} \end{array}$$

응용연산

1 나눗셈을 하세요.

$36÷3=$ [12] ➡ $360÷3=$ [120]

$64÷2=$ [32] ➡ $640÷2=$ [320]

$88÷4=$ [22] ➡ $880÷4=$ [220]

2 몫의 크기를 비교하여 ○에 >, =, <를 알맞게 쓰세요.

$422÷2$ ⟩ $630÷3$ $264÷2$ = $396÷3$

$639÷3$ ⟨ $880÷4$ $804÷4$ ⟩ $505÷5$

3 수 카드를 한 장씩 사용하여 가장 큰 세 자리 수를 만들고, 나머지 카드로 나눈 몫을 구하세요.

[6] [4] [2] [8] $864÷2=432$

4 나눗셈을 하고 곱셈식의 ☐ 안에 알맞은 수를 쓰세요.

$284÷2=$ [142] ➡ [142] $×2=284$

$936÷3=$ [312] ➡ [312] $×3=936$

$884÷4=$ [221] ➡ [221] $×4=884$

5 ☐ 안에 알맞은 수를 쓰세요.

$848÷$ [4] $=424÷2$

6 색종이 505장을 한 명에게 5장씩 나누어 주려고 합니다. 색종이를 몇 명에게 나누어 줄 수 있을까요?

식 $505÷5=101$ 답 101 명

7 소희네 학교는 한 반에 20명씩 42개 반입니다. 전체 학생을 4명씩 모둠을 만들어 각 모둠에 배구공을 1개씩 나누어 준다면 배구공은 몇 개가 필요할까요?

$20×42=840$
$840÷4=210$ 210 개

70·71쪽

2일 302 C (세 자리 수)÷(한 자리 수) (2)

개념원리

나머지가 없는 세 자리 수와 한 자리 수의 나눗셈을 알아봅시다.

```
      1 8 6  ← 몫
  3 ) 5 5 8
      3        ← 3×1
      2 5
      2 4      ← 3×8
        1 8
        1 8    ← 3×6
          0
```

```
        4 5  ← 몫
  3 ) 1 3 5
      1 2      ← 3×4
        1 5
        1 5    ← 3×5
          0
```

백의 자리에서 나눌 수 없으므로 십의 자리에서 13을 3으로 나누고 남은 1과 일의 자리 5를 합쳐 15를 3으로 나눕니다. 나머지가 0일 때 나누어떨어진다고 합니다.

```
      1 4 7
  5 ) 7 3 5
      5
      2 3
      2 0
        3 5
        3 5
          0
```

```
        2 8
  9 ) 2 5 2
      1 8
        7 2
        7 2
          0
```

```
      1 7 9
  4 ) 7 1 6
      4
      3 1
      2 8
        3 6
        3 6
          0
```

$485 \div 5 = 97$
```
      9 7
  5 ) 4 8 5
      4 5
        3 5
        3 5
          0
```

$264 \div 3 = 88$
```
      8 8
  3 ) 2 6 4
      2 4
        2 4
        2 4
          0
```

$595 \div 7 = 85$
```
      8 5
  7 ) 5 9 5
      5 6
        3 5
        3 5
          0
```

$252 \div 6 = 42$
```
      4 2
  6 ) 2 5 2
      2 4
        1 2
        1 2
          0
```

$657 \div 9 = 73$
```
      7 3
  9 ) 6 5 7
      6 3
        2 7
        2 7
          0
```

$448 \div 8 = 56$
```
      5 6
  8 ) 4 4 8
      4 0
        4 8
        4 8
          0
```

$188 \div 4 = 47$
```
      4 7
  4 ) 1 8 8
      1 6
        2 8
        2 8
          0
```

$192 \div 3 = 64$
```
      6 4
  3 ) 1 9 2
      1 8
        1 2
        1 2
          0
```

$190 \div 5 = 38$
```
      3 8
  5 ) 1 9 0
      1 5
        4 0
        4 0
          0
```

72·73쪽

응용연산

1 빈칸에 알맞은 수를 쓰세요.

| 480 | ÷3 | 160 | ÷5 | 32 | ÷8 | 4 |

| 768 | ÷2 | 384 | ÷4 | 96 | ÷3 | 32 |

2 □안에 알맞은 수를 쓰세요.

```
      1 7 4
  3 ) 5 2 2
      3
      2 2
      2 1
        1 2
        1 2
          0
```

```
      1 3 5
  7 ) 9 4 5
      7
      2 4
      2 1
        3 5
        3 5
          0
```

```
      1 8 6
  4 ) 7 4 4
      4
      3 4
      3 2
        2 4
        2 4
          0
```

3 몫이 두 자리 수인 나눗셈에 ○표, 몫이 세 자리 수인 나눗셈에 △표 하세요.

$291 \div 3 = 97$ ○ $624 \div 8 = 78$ ○ $924 \div 6 = 154$ △

$833 \div 7 = 119$ △ $412 \div 4 = 103$ △ $375 \div 5 = 75$ ○

4 지연이는 273쪽인 위인전을 일주일 동안 모두 읽으려고 합니다. 매일 같은 쪽씩 읽는다고 할 때 하루에 몇 쪽씩 읽어야 할까요?

식 $273 \div 7 = 39$ 답 39 쪽

5 동현이네 마을에서는 식목일에 나무를 648그루 심었습니다.

8명이 나무를 심었다면 한 사람이 몇 그루씩 심었을까요?

식 $648 \div 8 = 81$ 답 81 그루

한 줄에 9그루씩 심었다면 나무는 모두 몇 줄 심었을까요?

식 $648 \div 9 = 72$ 답 72 줄

3월
303

나머지가 있는 (세 자리 수)÷(한 자리 수)

나머지가 있는 세 자리 수와 한 자리 수의 나눗셈을 알아봅시다.

```
      1 6 9 ← 몫
   4) 6 7 8
      4       ← 4×1
      2 7
      2 4     ← 4×6
        3 8
        3 6   ← 4×9
          2 ← 나머지
```

```
        7 4 ← 몫
   8) 5 9 4
      5 6     ← 8×7
        3 4
        3 2   ← 8×4
          2 ← 나머지
```

나머지는 나누는 수보다 작습니다.

```
      1 2 6
   6) 7 5 9
      6
      1 5
      1 2
        3 9
        3 6
          3
```

```
        6 5
   7) 4 5 8
      4 2
        3 8
        3 5
          3
```

```
697÷4=174…1
      1 7 4
   4) 6 9 7
      4
      2 9
      2 8
        1 7
        1 6
          1
```

```
290÷3=96…2
        9 6
   3) 2 9 0
      2 7
        2 0
        1 8
          2
```

```
532÷6=88…4
        8 8
   6) 5 3 2
      4 8
        5 2
        4 8
          4
```

```
857÷5=171…2
      1 7 1
   5) 8 5 7
      5
      3 5
      3 5
          7
          5
          2
```

```
624÷7=89…1
        8 9
   7) 6 2 4
      5 6
        6 4
        6 3
          1
```

```
935÷2=467…1
      4 6 7
   2) 9 3 5
      8
      1 3
      1 2
        1 5
        1 4
          1
```

```
783÷4=195…3
      1 9 5
   4) 7 8 3
      4
      3 8
      3 6
        2 3
        2 0
          3
```

```
845÷3=281…2
      2 8 1
   3) 8 4 5
      6
      2 4
      2 4
          5
          3
          2
```

```
479÷8=59…7
        5 9
   8) 4 7 9
      4 0
        7 9
        7 2
          7
```

응용연산

1 ●안의 수를 ◇안의 수로 나누어 빈 곳에 몫과 나머지를 쓰세요.

2 □안에 알맞은 수를 쓰세요.

```
      1 4 7
   4) 5 8 9
      4
      1 8
      1 6
        2 9
        2 8
          1
```

```
      1 1 8
   7) 8 3 2
      7
      1 3
      7
        6 2
        5 6
          6
```

```
      1 6 3
   6) 9 8 3
      6
      3 8
      3 6
        2 3
        1 8
          5
```

3 다음 (세 자리 수)÷(한 자리 수)의 나눗셈의 몫이 두 자리 수일 때, □안에 들어갈 수 있는 수를 모두 쓰세요.

5)□74

1, 2, 3, 4

4 어떤 세 자리 수를 8로 나누었을 때 나올 수 있는 나머지 중에서 가장 큰 수는 얼마일까요?

7

5 문구점에서 공책 642권을 봉투 1개에 7권씩 넣고 있습니다. 공책을 넣은 봉투는 최대 몇 개가 되고, 공책은 몇 권이 남을까요?

642÷7=91…5 91 개가 되고 5 권이 남습니다.

6 어느 제과점에서는 쿠키 128개를 한 상자에 9개씩 담아 판매합니다. 판매할 수 있는 쿠키는 최대 몇 개일까요?

128÷9=14…2, 128-2=126 126 개

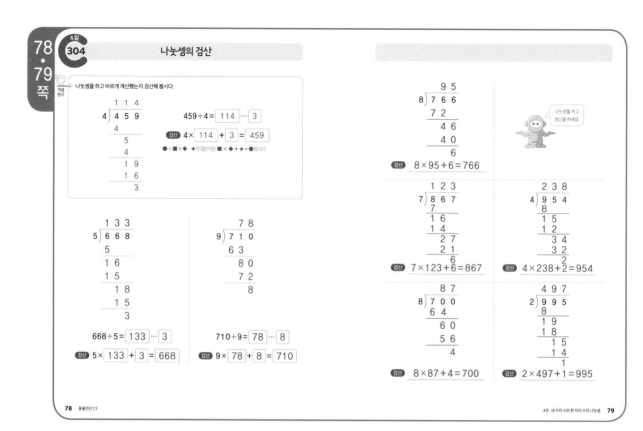

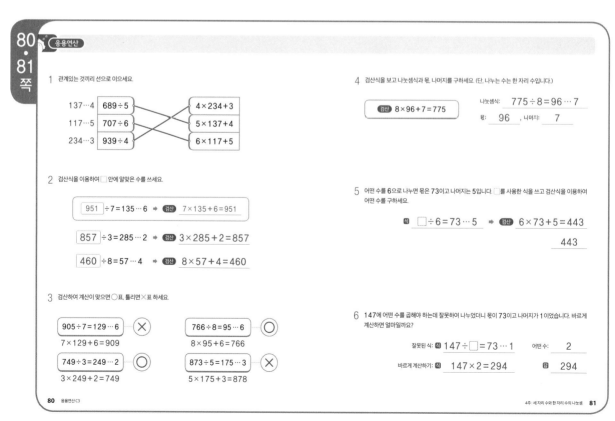

형성평가

1 나눗셈을 하세요.

$808 \div 8 = 101$ $777 \div 7 = 111$ $936 \div 3 = 312$

$804 \div 4 = 201$ $550 \div 5 = 110$ $628 \div 2 = 314$

```
      8 4
  4) 3 3 6
     3 2
     1 6
     1 6
        0
```

```
      6 8
  5) 3 4 0
     3 0
        4 0
        4 0
         0
```

```
      7 7
  7) 5 3 9
     4 9
     4 9
     4 9
        0
```

```
      5 3
  6) 3 1 8
     3 0
     1 8
     1 8
        0
```

```
      8 7
  9) 7 8 3
     7 2
        6 3
        6 3
         0
```

```
      6 2
  8) 4 9 6
     4 8
     1 6
     1 6
        0
```

2 □ 안에 알맞은 수를 쓰세요.

$648 \div \boxed{9} = 216 \div 3$

3 예원이는 사탕 406개를 포장하려고 합니다. 한 봉지에 7개씩 담을 때 최대 몇 봉지가 나올까요?

식 $406 \div 7 = 58$ 답 58 봉지

4 □ 안에 알맞은 수를 쓰세요.

```
      1 2 4
  8) 9 9 6
     8
     1 9
     1 6
        3 6
        3 2
         4
```

```
      2 3 7
  4) 9 5 0
     8
     1 5
     1 2
        3 0
        2 8
         2
```

```
      1 1 8
  7) 8 3 2
     7
     1 3
        7
        6 2
        5 6
         6
```

5 과자 공장에서 과자를 909개 생산했습니다. 한 상자에 7개씩 최대한 많은 상자에 담고 남는 과자는 모두 몇 개일까요?

식 $909 \div 7 = 129 \cdots 6$ 답 6 개

6 나눗셈을 하고 검산을 하세요.

```
      1 3 4
  6) 8 0 7
     6
     2 0
     1 8
        2 7
        2 4
         3
```

```
      2 9 4
  3) 8 8 4
     6
     2 8
     2 7
        1 4
        1 2
         2
```

검산 $6 \times 134 + 3 = 807$ 검산 $3 \times 294 + 2 = 884$

7 검산식을 보고 나눗셈식과 몫, 나머지를 구하세요. (단, 나누는 수는 한 자리 수입니다.)

검산 $6 \times 103 + 1 = 619$

나눗셈식: $619 \div 6 = 103 \cdots 1$

몫: 103 , 나머지: 1

8 895에 어떤 수를 곱해야 하는데 잘못하여 나누었더니 몫이 127이고 나머지가 6입니다. 바르게 계산하면 얼마일까요?

잘못된 식: 식 $895 \div \boxed{} = 127 \cdots 6$ 어떤 수: 7

바르게 계산하기: 식 $895 \times 7 = 6265$ 답 6265